Técnicas para hablar en público

books4pocket

Deb Gottesman • Buzz Mauro

Técnicas para
hablar en público

Traducción de Librada Piñero y Carles Andreu

EDICIONES URANO

Argentina - Chile - Colombia - España
Estados Unidos - México - Uruguay - Venezuela

Título original: *Masterful Public Speaking*
Copyright © 2001 by Deb Gottesman y Buzz Mauro

© de la traducción: Librada Piñero y Carles Andreu
© 2002 by Ediciones Urano
Aribau, 142, pral. – 08036 Barcelona
www.edicionesurano.com
www.books4pocket.com

1ª edición en books4pocket noviembre 2008

Diseño de la colección: Opalworks
Imagen y diseño de portada: Opalworks

Impreso por Novoprint, S.A.
Energía 53
Sant Andreu de la Barca (Barcelona)

Fotocomposición: books4pocket

ISBN: 978-84-92516-58-2
Depósito legal: B-51.926-2008

Impreso en España – *Printed in Spain*

Índice

Agradecimientos

Queremos dar las gracias a las siguientes personas por su sabiduría y por el apoyo que nos han prestado:

Julia Agostinelly, Amy Austin, Ginjer Buchanan, Lisa Considine, Laura Derrick, Colleen Estep, Michael y Roberta Gottesman, William H. Graham, Buzz y Marguerite Mauro, Michael Rodgers y Lynn Seligman.

Nos gustaría dar las gracias muy especialmente a Steve Daigler y Jeanne Goldberg, sin la ayuda de los cuales este libro, como muchas otras cosas, no habría sido posible.

Prólogo

El orador como actor

*Cuando hablo de un orador, lo hago
casi como si hablara de un actor.*

MARCO TULIO CICERÓN,
quizás el orador más famoso de todos los tiempos

En 1992 abrimos un pequeño estudio de teatro en Washington, una ciudad en la que el número de abogados y políticos supera al de actores en una proporción algo así como de mil a uno. En consecuencia, muchos de los estudiantes que entraron por la puerta no lo hicieron con el deseo de convertirse en los próximos Marlon Brando o Meryl Streep, sino más bien con el de desarrollar habilidades que les ayudaran a destacar en un campo profesional en el que se valora enormemente la comunicación oral.

Al cabo de varios años, la preparación dramática de personas que no son actores se ha convertido en algo mucho más popular de lo que habríamos podido imaginar. Para poder cubrir la demanda, creamos una empresa consultora que se encarga exclusivamente de la aplicación de técnicas dramáticas al trabajo de los oradores públicos y demás profesionales del mundo de los negocios. En la actualidad nuestra cartera de clientes incluye algunas de las instituciones públicas y empresas privadas más destacadas.

Hubo un tiempo en el que los actores eran considerados los ciudadanos más marginales de la sociedad; de hecho, en general, se les tomaba por locos y muchas veces se los encerraba en manicomios. En algunas partes de Italia y España, hasta el siglo XVIII se les prohibieron los sacramentos de la iglesia a menos que renegaran de su vil profesión. No obstante, los tiempos han cambiado. De pronto los actores se han convertido en las personas más indicadas para desvelar los secretos de hablar en público. Y de veras que ya era hora, puesto que (como ya señaló Cicerón hace varias civilizaciones) el buen orador es, casi desde todos los puntos de vista imaginables, simplemente un actor al que se conoce con otro nombre.

Los actores saben cómo dejar una huella duradera. Saben cómo hablar con naturalidad y fuerza aunque estén pronunciando las palabras de otra persona. Saben cómo proyectar una personalidad y de que modo liberar el poder de la imaginación. Saben cómo analizar un papel y representarlo a la perfección. Saben cómo mantener la calma cuando hay cientos de ojos fijos en ellos. Tienen a su disposición técnicas vocales y físicas para maximizar la efectividad de sus dotes comunicativas. Están especializados en conectar con su audiencia. Y lo que tal vez sea más importante: saben que la confianza en uno mismo y la capacidad de comunicarse bien se obtienen con la práctica, y saben qué tipo de práctica es la más valiosa.

Independientemente de la clase de discurso que debas pronunciar (ya sea unas palabras en una recepción, una presentación de trabajo en una sala de conferencias o un discurso televisado para una audiencia de millones de personas), el dominio de las habilidades dramáticas sacará al mejor orador que llevas dentro. Cuando termines de leer este libro, dominarás todas las técnicas necesarias para subir al estrado con confianza y entusiasmo, transmitir un mensaje convincente y ofrecer a tu audiencia una experiencia significativa que seguirán recordando mucho tiempo después de que los aplausos se hayan extinguido.

1. La preparación de un actor

*Todo el mundo ha actuado alguna vez, sin duda;
se trata de un instinto inherente a todos nosotros.*

SIR LAURENCE OLIVIER

El mito del talento

La mayoría de la gente asume que los buenos actores (y los buenos oradores) lo son porque poseen algo llamado «talento». Es una palabra que se oye mucho. Los actores tienen «talento», o un «don», lo que significa que han de haber nacido con ello. Pero hasta el momento los biólogos no han logrado aislar el gen del talento, y es muy probable que nunca lo consigan. El talento es una invención de nuestra imaginación colectiva.

Tal vez nuestra cultura haya creado la ilusión del talento porque nos gusta poner a la gente que vale en un pedestal, o porque a veces parece que los buenos actores están dotados de poderes que no son de este mundo, o porque es mucho más fácil decir: «Yo no tengo talento» que trabajar duro para desarrollar una habilidad.

Por supuesto, algunas personas tienen que trabajar menos que otras para lograr hablar bien en público. Incluso puede que tú seas una de ellas; si es así, mejor que mejor. Sin embargo, lo más importante es que todo el mundo puede aprender a desarrollar las habilidades necesarias para cautivar a una audiencia. No se trata de magia; cualquiera puede acabar poseyendo ese «talento». Lo único que hace falta es voluntad para contemplar las cosas de otra forma, trabajar duro y andar un poco por la cuerda floja. Si te atreves puedes hacerlo, y bien.

Y aún podemos ir más lejos: es posible incluso aprender a atreverse.

Esa es la base de este libro. Si no creyéramos que es posible convertirte en un mejor orador, jamás lo habríamos escrito.

Fíjate en que, de hecho, ya eres un orador, independientemente de tu grado de experiencia en el estrado. A menos que seas un ermitaño, te pasas el día hablando. El salto para convertirte en un orador «público» cuando ya lo eres en círculos privados no es tan grande como pueda parecer.

El mejor discurso público es muy parecido al mejor discurso en la vida cotidiana: es específico para los oyentes, tiene una buena razón de ser y sale del corazón. Se trata básicamente de una forma de conversación en la que uno o más de los participantes no hablan o hablan muy poco. Podemos aumentar su intensidad para que llegue a una audiencia mayor o para insistir en un determinado aspecto más de lo que lo hacemos en nuestras conversaciones cotidianas, y podemos contar con una preparación o una estrategia mejores, pero el aspecto más importante es siempre idéntico: cuando hablamos, lo hacemos empujados por la necesidad de hacer que suceda algo. Tal vez intentemos solucionar un problema, obtener un préstamo o conseguir una cita. Se trata de lo que los actores denominan «perseguir un objetivo».

Las obras de teatro son eso: personajes que se relacionan los unos con los otros para conseguir lo que quieren, ya sea amor, dinero o venganza. En el escenario de los discursos en público, las personas con las que nos relacionamos son, por supuesto, los miembros de la audiencia: ellos son los demás personajes de nuestra «obra». Tu objetivo puede ser tan simple como arrancarle a alguien una carcajada en el día de su boda o tan complejo como lograr que cambie de opinión respecto al aborto, pero el caso es que siempre quieres lograr algo de quien te escucha, aunque a veces no seas consciente de ello. Al aprender a abordar tus discursos del mismo modo en que los actores abordan un guión, te centrarás en aquello en que los oradores «con talento» saben que hay que centrarse: en tratar de influir en tus oyentes.

Llegar al Carnegie Hall

Sean cuales sean los objetivos específicos que tengas a la hora de hablar en público, es importante que comprendas que el simple hecho de leer este libro (o cualquier otro) no te llevará demasiado lejos. Tendrás que practicar: no hay otro modo de conseguir hacerlo bien.

Como cualquier otra forma de actuación, hablar en público es una actividad física. Es algo que se hace con el cuerpo, como jugar al tenis o tocar el piano; si nunca cogieras la raqueta o no practicaras escalas, no lograrías progresar demasiado.

Ningún actor en su sano juicio subiría al escenario sin antes haber practicado durante semanas. Lo que a ojos del público parece algo natural es en realidad el resultado de horas y horas de pruebas y errores cuidadosamente planeadas y de tomar decisiones al respecto. Cuanto más ensayes, más confianza tendrás en las decisiones que hayas tomado. Así de sencillo.

Echa un vistazo a los hábitos de ensayo de los actores contemporáneos y casi siempre encontrarás una correlación directa entre aquellos que se entregan al proceso de ensayo y los que identificamos como actores verdaderamente «inspirados». Tanto Paul Newman como Al Pacino han confesado que hasta disfrutan más cuando ensayan que cuando trabajan, y que desearían que la fase de experimentación del proceso artístico durara para siempre. En el caso de Charles Durning, eso es lo que ocurre. Incluso tras semanas de ensayos, cuando tiene todas sus frases perfectamente grabadas en la memoria, le gusta leer la obra de cabo a rabo antes de cada función, en busca de nuevos sentidos en el texto. O piensa en Madeleine Kahn: la que fue alabada toda su vida por sus dotes cómicas «naturales», en realidad se basaba en un proceso de preparación extremadamente metódico. Desde el momento en el que aceptaba un papel, decía: «Está en mi cerebro y mi ordenador trabaja en ello. Se trata de un proceso continuo que dura hasta después de que salgan las críticas».

Si bien la práctica no nos hará nunca perfectos, los grandes actores saben que es el único camino fiable para lograr una buena actuación.

Aun así, resulta sorprendente que muchos oradores no practiquen. La única preparación que realizan consiste en echarle un vistazo a sus notas un par de veces antes del gran día, lo que significa que en muchas ocasiones llegan al estrado sin haber leído el discurso en voz alta ni una sola vez. Lo cierto es que no debe sorprender a nadie que los oradores que no hayan preparado demasiado su discurso tengan más posibilidades de perderse, balbucir, sonar artificiales, perder el hilo de sus pensamientos o sucumbir al peor de sus hábitos no estudiados, como arrastrar los pies o llenar su discurso de «esto...» y otros titubeos. Además, por lo general suelen estar más nerviosos, ya que tienen muchas más cosas por las que preocuparse. Así las cosas, ¿por qué los oradores no se preparan mejor?

En parte porque los ensayos pueden asustar, de modo que la gente los evita. Preparar un discurso nos recuerda que pronto lo tendremos que pronunciar, y esa es una realidad a la que muchos oradores angustiados prefieren no enfrentarse tan pronto. En consecuencia, no se obligan a dar el paso de pronunciar el discurso completo hasta que ya tienen a la audiencia delante y la presión es enorme. Y si consideran cada una de sus intervenciones en público como un ensayo para futuros discursos, lo que en realidad están haciendo es *ensayar cómo ponerse nerviosos,* convirtiendo así los nervios en parte integrante de su experiencia como oradores y entrando en un espantoso círculo vicioso.

Coincidiremos, pues, en que es mucho mejor dar el paso en unas condiciones controladas y concederse la oportunidad de *ensayar cómo mantener el control.* Un proceso de ensayo bien estructurado fomentará el desarrollo de buenos hábitos de actuación que te serán útiles, incluso subconscientemente, cuando llegue el momento de pronunciar el discurso. Del mismo modo que las malas experiencias potencian las emociones negativas, las buenas experiencias fomentan sensaciones positivas sobre el proceso de hablar en público. Las grandes mentes, desde Aristóteles hasta William James, se han percatado de que el mejor camino para llegar a ser valiente es actuar con valentía. Asimismo, el mejor camino para convertirse en un buen orador es actuar como tal, y eso significa ensayar.

Como verás más adelante, un buen ensayo implica crecimiento y exploración, avanzar siempre hacia un mayor dominio de lo que se vaya a exponer y no darse nunca por satisfecho. Lejos de convertir tu discurso en una intervención rígida, un buen proceso de ensayo te proporcionará formas nuevas y excitantes de enfrentarte al tema de que se trate, a tu audiencia y a ti mismo.

Puesto que gran parte de cualquier exposición consiste en la presentación de uno mismo, también ha de ser grande la parte del ensayo que vaya encaminada a elegir a qué aspectos tuyos deseas recurrir. Los buenos actores (los que siempre atraen tu atención y resultan creíbles en papeles muy distintos) son expertos a la hora de acceder a aspectos de su yo no habitual. Se conocen lo bastante bien como para invocar partes de su personalidad que normalmente no muestran a los demás, y a veces ni siquiera a sí mismos.

Para ser un orador convincente, deberás hacer algo parecido a eso. Por ejemplo, puede que desees acceder a aquella parte de ti que sea más confiada, atractiva y persuasiva. No querrás ocultar tu personalidad bajo una piedra, puesto que es tu mejor baza, pero tampoco querrás definirla con tanta exactitud como podrías sentirte tentado a hacer. Un gran profesor de interpretación dijo en una ocasión que todo ser humano posee las ochenta y ocho teclas del piano, pero que la mayoría de nosotros restringimos nuestras melodías a la octava central. La buena noticia es que, ensayando de forma apropiada, todo el mundo puede convertirse en un virtuoso.

Algunas personas pueden ver una contradicción en esta idea. ¿Acaso actuar no es esencialmente fingir? ¿Entonces la sinceridad no tiene ninguna importancia a la hora de hablar en público?

La contradicción desaparece cuando se comienza a comprender la verdadera naturaleza del hecho de actuar. No se trata de simular ni de aplicar trucos baratos «de teatro» para acaparar la atención del público. Una persona que suba a un escenario pensando eso puede representar un papel, pero jamás será un actor, al menos no uno bueno. Un verdadero actor encuentra la verdad en su personaje, en su situación, en sus relaciones y en el lenguaje. Aporta muchos aspectos de sí mismo al papel y lo vive tan sinceramente como puede, dentro de los parámetros de ficción de la obra. Pues bien, un buen orador hace lo mismo dentro de los parámetros del discurso.

El papel del orador es exactamente eso: un papel. Sin embargo, no se trata de una impostura mayor que la de cualquiera de los otros papeles que representamos en nuestra vida diaria: el de vecino, el de jefe, el de empleado, el de padre, el de hermano, el de amigo… Tú eres distinto en cada papel (no te comportas de la misma forma con tu madre que con tu hija), pero todos ellos son completamente reales. Como orador puedes asumir el papel de maestro, de motivador, de experto en la solución de problemas, de bufón o de profeta. Las técnicas de actuación te ayudarán a interpretarlo de forma sincera y efectiva.

Por supuesto, hace falta un poco de arte; no vas a limitarte a presentar la verdad y nada más que la verdad. Deberás ser natural y a la vez excitante, lógico pero interesante, atractivo y audible. Para ser un buen actor debes perseguir no sólo la realidad, sino una realidad intensificada. Nuestro objetivo es que, a medida que trabajes con este libro, vayas comprendiendo qué sentido quiso dar Oscar Wilde a sus palabras cuando dijo: «Me encanta actuar. Es mucho más real que la vida».

Cómo utilizar este libro

La metodología de trabajo que sigas con este libro dependerá del tipo de discurso que pretendas pronunciar y de tu nivel de preparación en ese punto. Si ya tienes fecha para pronunciarlo y aún no has comenzado a prepararte, la mejor forma de utilizar este libro será comenzar por el principio y hacer el trabajo hasta el final. Dispondrás de una guía paso a paso de todos los aspectos del desarrollo y la ejecución del discurso, desde cómo tomar lápiz y papel por primera vez hasta cómo aceptar los aplausos con elegancia. El método que aquí presentamos es un sistema cuidadosamente estructurado y probado, y si lo sigues al pie de la letra, lograrás hablar con confianza y persuasión en el menor tiempo posible.

Sin embargo, si tienes planeado pronunciar un discurso que ya has escrito o que te está escribiendo otra persona, puedes saltarte los apartados de redacción si te apetece. Sin embargo, nuestro consejo es que no los pases por alto completamente, ya que pueden aportarte ideas sobre cómo revisar o interpretar tu texto para dotarlo de mayor coherencia estructural, lógica interna, claridad, viveza y consistencia dramática y para adecuarlo a tu propio estilo como orador.

Ciertamente, también es posible que no tengas la intención de redactar un discurso completo. Si vas a hablar con notas, de memoria o improvisando sobre la marcha, hojea las secciones en las que se habla de cómo trasladar el discurso al papel y cómo interpretar el texto, y céntrate más en las que tratan de cómo llegar a la audiencia y cómo desarrollar las habilidades necesarias para lograr una buena comunicación.

Por supuesto, también es posible que ni siquiera tengas previsto hacer un discurso. Si estás leyendo este libro simplemente porque deseas mejorar tus habilidades a la hora de hablar en público, tendrás más tiempo para practicar los ejercicios. Invéntate un discurso sencillo sobre algún tema que te interese o busca un libro de discursos célebres y elige uno de ellos. Cuando llegue el momento de pronunciar tu propio discurso, podrás aprovechar las habilidades adquiridas.

2. Hablando en términos teatrales

Todo el mundo utiliza técnicas de interpretación para lograr sus objetivos, desde el niño que llora porque quiere un helado hasta el político que se desgañita para llegar a los corazones y las carteras de los votantes potenciales.

MARLON BRANDO

Hablar con un propósito

Imagina por un momento que eres un actor que trabaja en una obra de teatro. El primer día de ensayo le echas un vistazo al guión y ves que tienes que decir lo siguiente: «¡Stella, Stella!»

¿Cómo vas a decirlo? ¿De un modo fuerte o suave? ¿Con rapidez o lentamente? ¿Crees que el primer «Stella» debería sonar como el segundo, o de forma algo distinta? ¿Debes actuar como si estuvieras sufriendo? ¿O simplemente has de tratar de imitar a Marlon Brando en la película *Un tranvía llamado deseo*?

Bueno, ¿quién sabe? Existen un millón de formas distintas de decir esas palabras, por supuesto, y podrías volverte loco tratando de elegir entre todas las posibilidades. Por ese motivo los actores con algo de experiencia abordan la cuestión de una forma muy distinta.

En lugar de concentrarse en *cómo* decir algo, el actor experimentado se pregunta: «*¿Por qué* voy a decirlo?» Y si es un buen actor, responderá: «Porque mi personaje quiere algo, y decir estas palabras le ayudará a conseguirlo». Su experiencia le ha enseñado que eso es aplicable a todas las frases de todos los guiones. Por supuesto, hay algo más; aún tiene que descubrir qué es lo que ese personaje en concreto desea en ese momento determinado y por qué decir esas palabras puede hacer que lo logre, pero ya ha tomado el camino que le llevará a una respuesta provechosa, que le resolverá el problema de cómo decir la frase.

Ese actor sabe que un buen producto es el resultado de un buen proceso. El producto que persigue puede ser conseguir una actuación fascinante, arrebatadora, que le haga ganar un premio, pero comienza con el proceso básico de descubrir qué intenta lograr su personaje al decir la frase del guión.

De hecho, un actor que interprete a Stanley Kowalski en *Un tranvía llamado deseo* tendrá que decir forzosamente: «¡Stella, Stella!» Si es un buen actor, en lugar de preocuparse por cómo decirlo o por lo que los críticos escribirán sobre su interpretación, se concentrará en el verdadero objetivo que persigue Stanley al decirlo: convencer a su mujer de que vuelva a aceptarle. Lo que lo convierte en un momento con fuerza teatral es la necesidad de Stanley de provocar una reacción de Stella con sus palabras.

Ese es el primer principio que aprenden los estudiantes de teatro: los actores *actúan*, es decir, hacen cosas para influir en los demás personajes de la obra.

Y ese es también el primer principio para llegar a ser un buen orador: debes *actuar en* la audiencia. En concreto, debes persuadirla para que piense, sienta o haga algo como consecuencia de tus palabras.

La oratoria como método

Toda comunicación tiene como objetivo persuadir. Siempre que hablas, estás intentando influir en alguien, obtener una respuesta. Si dices: «Tráeme un vaso de agua», es evidente que estás intentando persuadir a alguien para que te traiga un vaso de agua. Si dices: «Johnny ha sacado un suficiente en el examen de aritmética», puedes estar tratando de persuadir a alguien de que sienta lástima por Johnny, o de que lo felicite, o de que pase más tiempo con él por las tardes.

Siempre que hablamos «en la vida real», lo hacemos por necesidad. Necesitamos un vaso de agua o necesitamos que Johnny se sienta mejor. Primero experimentamos la necesidad y luego encontramos algo que decir que nos ayudará a satisfacerla. La mayoría de nosotros lo hacemos muy bien; de hecho, el proceso suele producirse de forma completamente inconsciente.

Hablar en público, en cambio, suele ser un proceso inverso. En el momento en el que empezamos realmente a hablar desde el estrado, resulta difícil conectar con el impulso original que motivó el discurso, e incluso recordarlo. Echamos un vistazo a un montón de palabras escritas en hojas o en tarjetas y no vemos más que eso, palabras —aunque las hayamos escrito nosotros mismos—, o, en el mejor de los casos, ideas intelectuales. La necesidad está oculta. Y si entonces seguimos adelante y hablamos sin activar la necesidad de hacerlo, la comunicación no será auténtica. Probablemente se nos verá poco naturales y, desde luego, no seremos muy efectivos.

Para cumplir con la función persuasiva de una presentación, el orador debe identificar, en primer lugar, la necesidad que se esconde bajo el texto y luego utilizar las palabras para intentar satisfacerla. Eso exige un método eficaz de transformar la comunicación fundamental en un proceso consciente, un proceso que podamos controlar.

Y ahí es donde resulta útil un poco de preparación dramática. Los actores están acostumbrados a tomar palabras que ya están escritas («¡Stella, Stella!») e insuflarles nueva vida y perentoriedad; es decir, saben cómo activar la necesidad. Esa es la base de la «interpretación con método», un sistema que nació de la mano del profesor de interpretación ruso Konstantin Stanislavsky a finales del siglo XIX. Dado que este sistema ha sido adoptado por actores tan formidables como Marlon Brando, Dustin Hoffman o Geraldine Page, algunas personas se equivocan al pensar que se trata de algo muy misterioso o de difícil comprensión. A otras les sugiere extremos absurdos como el de «perderse en el papel». Lo cierto es que los principios básicos de la interpretación con método son, en general, de sentido común y tienen muchas implicaciones para los oradores.

He aquí la teoría del método a grandes rasgos: en todo momento de una obra, todos los personajes quieren o necesitan algo de otro personaje o personajes. Esos deseos y necesidades se conocen como «objetivos». Existen objetivos a corto plazo (*Quiero que esa persona me dé un abrazo*) y a largo plazo (*Quiero ganarme el respeto de esa persona*). Los medios por los que se logran los objetivos se llaman «acciones», que son las tácticas que utiliza un personaje para lograr lo que desea de otro. La acción de un personaje puede ser tranquilizar, divertir, seducir o suplicar; cualquier verbo servirá. El trabajo del actor que sigue el método consiste en identificar de manera consciente y específica los objetivos de su personaje para entonces llevar a cabo las acciones necesarias para conseguirlos.

El resto de este capítulo tratará con más detenimiento de cómo aplicar las herramientas de las acciones y los objetivos a la hora de hablar en público. En el próximo capítulo tendrás la ocasión de poner en práctica estos poderosos conceptos en tu propio discurso.

El público como compañero de escena

Gran parte del atractivo de una obra de teatro reside en que el público pueda espiar a unos personajes que no saben que los están espiando: se crea una sensación de voyeurismo. Sin embargo, si pronuncias un discurso y finges no saber que tienes una audiencia, quienes te escuchen se sentirán, cuando menos, extraños.

Eso significa que tu público es fundamentalmente distinto al de una obra teatral. En realidad, es como si estuviera en el escenario contigo, y constituye una parte fundamental de la escena. Tú no estás creando algo *para* él, sino *con* él.

En una obra los actores se concentran en sus compañeros de escena y realizan acciones con unos objetivos que sólo pueden satisfacer esos otros personajes. (Stella es la única que puede volver a aceptar a Stanley.) En tu exposición, el público es tu compañero de escena. Esas son las personas con quienes actúas y las únicas que pueden satisfacer tus objetivos.

Definir los objetivos

Así pues, ¿cuáles son tus objetivos? ¿Qué puedes desear de tu público?

El objetivo número uno citado por los oradores expertos es «informar». Sin embargo, si eso es lo que encabeza tu lista, vas a tener problemas. «Informar» puede ser una forma fantástica de conseguir bostezos, cabezadas y excelentes garabatos de tu audiencia; pero si lo que deseas es generar emoción o provocar cambios, deberás apuntar más alto.

Contrariamente a lo que mucha gente cree, las presentaciones y los discursos no consisten en exponer hechos. (¡Si así fuera, bastaría con entregar un informe y marcharse a casa!) Como orador, tu tarea consiste en ejercer influencia. Tu audiencia es un participante activo en el intercambio, ya que, de forma implícita o explícita, le estás pidiendo que se muestre de acuerdo con tus palabras o que tome una decisión importante basándose en los argumentos que le estás presentando.

Por lo tanto, uno de tus objetivos como orador debe ser conseguir implicar a tu audiencia, y la única forma de lograrlo es saber exactamente desde el principio qué tipo de implicación esperas. Eso significa que tu objetivo debe requerir una respuesta activa de tus oyentes.

La fórmula para lograr discursos intensos con objetivos claros y definidos es muy sencilla. Sólo debes sustituir las incógnitas de esta frase: «Les estoy diciendo x para que ustedes hagan *y*». La mayoría de las personas no tienen problema alguno para hacerlo con la variable *x* (al fin y al cabo, ese es el meollo del discurso, la información). Sin embargo, la variable *y* (el objetivo) presenta más problemas. Una vez que hayas identificado la *y*, estarás listo para dirigirte a tu público con éxito.

Supongamos que vas a dar una conferencia sobre las enfermedades de transmisión sexual, sobre la historia de tu barrio o sobre el balance de pérdidas y ganancias de tu empresa. En lugar de limitarte a transmitir la información *(x)* a tus oyentes:

- Edúcales sobre las enfermedades de transmisión sexual *para que abandonen las prácticas sexuales arriesgadas.*
- Dales una visión histórica de tu barrio *para que todos firmen una petición a favor de la preservación de los edificios históricos.*
- Ilustra la disminución de beneficios de tu empresa *para que este año los empleados no pidan un aumento de sueldo.*

Como puedes ver, los buenos objetivos requieren que el orador tenga un punto de vista sólido. Todo lo que digas debe ir encaminado a lograr que tu audiencia vea las cosas como las ves tú y haga lo que tú deseas que haga. Si quieres ser persuasivo, transmitir confianza, entretener, resultar interesante y ser un buen orador, debes comenzar por saber con exactitud qué es lo que quieres lograr con tu discurso.

Elegir los objetivos

Cabe señalar que el tema de tu discurso no tiene por qué definir ni limitar necesariamente tus objetivos. El *qué*, aquello de lo que estás hablando, es muy distinto del *por qué*, la razón por la que estás hablando de ello. Por ejemplo, un discurso a un grupo de grandes inversores acerca de la volatilidad del mercado bursátil actual puede sugerir los siguientes objetivos, todos ellos completamente distintos: (1) hacer que los inversores se retiren de las empresas que no cuenten con un historial fiable, (2) animar a los inversores a apostar por las operaciones rápidas porque el mercado está al rojo vivo, o (3) desanimar a los inversores para que no se embarquen en las operaciones rápidas porque el mercado está a punto de enfriarse. Todo depende de tu punto de vista sobre el tema y de tu relación con la audiencia. Tú eres quien decide.

Mientras que algunos discursos pueden tener un único objetivo (por ejemplo, un anuncio de treinta segundos que pretende persuadirte de votar por un candidato determinado), otros pueden tener diversos objetivos menores que obedecen a un propósito mayor. Ese propósito mayor (el objetivo último de la comunicación) se conoce en términos dramáticos como *superobjetivo*.

He aquí un ejemplo de la relación entre objetivos y superobjetivos. Durante un discurso electoral de una hora, un candidato a la presidencia del gobierno puede intentar conseguir lo siguiente:

- Persuadirte de que cuatro años más bajo el mismo liderato llevarían el Estado a la ruina.

- Hacerte admitir que el sistema educativo actual es inadecuado.
- Hacerte creer que las subidas de los impuestos repercuten en el bien de todos.
- Lograr que veas al candidato como un líder.

Todos esos objetivos responden a un superobjetivo obvio: *obtener tu voto.*

Interpretar las acciones

Pero, ¿cómo vas a alcanzar todos esos objetivos tan concretos? Aquí es donde las acciones entran en juego.

Inspirar, enfurecer, iluminar, sorprender, halagar, entusiasmar, divertir... Todo esto son acciones contundentes que puedes interpretar ante tu audiencia, además de excelentes respuestas a la pregunta: «¿Qué puedo hacer para lograr lo que quiero?»

La táctica para lograr que tus oyentes vean las cosas como tú y hagan lo que tú deseas que hagan debería emanar directamente de tus objetivos. ¿Quieres que el público te vea como un líder? Inspírales con una historia de la época en la que te presentaste para alcalde. ¿Quieres ganarte su confianza? Desármales con un chiste sobre algún error que cometiste y la lección que te enseñó. ¿Quieres que acepten la necesidad de un aumento de los impuestos? Alármalos con desoladoras predicciones sobre los obsoletos servicios del Estado en el año 2010, o entusiásmalos con historias de los maravillosos nuevos proyectos que podrían impulsarse si todo el mundo aportara un poco más. Las posibilidades son infinitas. Sin embargo, las acciones que decidas llevar a cabo deberán ser específicas para cada momento y habrán de tener sentido para el público concreto al que te estés dirigiendo.

Existen muchos tipos de acción, y los grandes oradores saben cómo explotarlos. Algunas acciones son físicas, como separarse de la tribuna y acercarse al público, suavizar una frase dura con una sonrisa o levantar el puño en señal de victoria. En el capítulo 6 hablaremos de las acciones físicas con más detalle. Sin embargo, la mayoría de acciones que llevarás a cabo mientras hables en público serán psicológicas: divertir a la gente con observaciones irónicas, proporcionarles datos sólidos, advertirles sobre los costes ocultos, etc. Las acciones psicológicas pueden dividirse en dos tipos básicos: las que apelan a las emociones («divertir» entraría en esta categoría) y las que apelan a la lógica (por ejemplo, «defender un argumento basado en datos estadísticos»). Puesto que cada persona reacciona de modo distinto ante los diversos enfoques, la mayoría de buenos discursos utilizan una combinación dinámica de acciones lógicas y acciones emocionales.

Tal vez te hayas percatado de que todas las acciones que hemos descrito hasta ahora se basan más en *hacer* algo que en *ser* algo. La diferencia, aunque sutil, es importante. *Hacer* algo significa actuar sobre la audiencia, mientras que *ser* algo es intentar mantener una imagen. Piensa en la diferencia existente entre «hacer reír al público» (una acción contundente, el éxito de la cual resulta fácil de medir) y «ser divertido» (una acción débil, puesto que no implica resultados concretos). Hacer algo está orientado a los demás, mientras que ser algo está orientado a uno mismo. Aunque en la profesión del arte dramático el debate del ser contra el hacer tiene siglos de antigüedad, los actores contemporáneos suelen coincidir bastante en que «ser o no ser» ya no es la única cuestión. Ahora se trata de «hacer y cómo hacer».

La salsa de la vida

Los estudiantes de oratoria hablan mucho de encontrar la variedad en un discurso. Están tremendamente asustados ante la idea de poder resultar aburridos, de modo que se aseguran de que sus discursos tengan unas partes más suaves y otras más intensas, unas partes divertidas y otras sesudas, y nunca jamás se quedan en el mismo lugar durante demasiado tiempo. Si se les pregunta por qué decidieron levantar la voz en un momento dado o inclinarse sobre el atril, es probable que respondan: «Me parecía que era el momento de hacer un cambio», que es como decir: «Por ninguna razón en especial».

No obstante, perseguir la variedad por la variedad no reporta beneficio alguno. Tu público no quiere verte llevar a cabo un puñado de acciones aleatorias encaminadas tan sólo a romper la monotonía. De hecho, los cambios físicos o psicológicos que no se apoyan en los objetivos de cada momento del discurso suelen distraer o incluso confundir a los oyentes. Si alguna vez has oído a un orador que cambia el tono de voz a cada palabra o el ritmo a cada frase, sabrás a qué nos referimos.

Para lograr una variedad positiva y útil en un discurso hay que saber qué se quiere conseguir con cada pasaje y desarrollar una serie de tácticas o acciones que harán que eso suceda. Los mejores discursos cambian a menudo de táctica y llegan a la audiencia con argumentos y ejemplos, historias e imágenes, datos numéricos y apelaciones emocionales. Si quieres que tu exposición tenga vida, busca muchas formas de llegar a tus oyentes.

Puedes elegir algunas de tus tácticas de antemano, en las etapas de desarrollo del discurso, de las que empezaremos a ocuparnos en el próximo capítulo. Por ejemplo, si quieres hacer disminuir la distancia emocional entre tus oyentes y tú, puedes decidir con antelación explicarles que te criaste en una comunidad rural, igual que ellos. Si lo que deseas es que cambien de idea acerca del sacrificio de animales, puedes decidir de antemano subir al escenario con un adorable ternero.

Sin embargo, hay una serie de acciones que descubrirás cuando te encuentres frente al conjunto de seres humanos que forma una audiencia. Eso se debe a que, en el fondo, los buenos discursos, como las buenas actuaciones, se basan en la *interacción*. El éxito de tu intento de comunicación depende no sólo de cómo lleves a cabo tus acciones, sino también del público que las reciba. Ese es el motivo por el cual aunque los buenos oradores abordan el momento de pronunciar sus discursos con objetivos específicos y asequibles e ideas sólidas sobre las acciones que les ayudarán a conseguirlos, se mantienen lo bastante flexibles para reajustar sus tácticas en caso de necesidad.

En los últimos capítulos, desarrollaremos un proceso de ensayo que te ayudará a saber si tu discurso está funcionando, de modo que puedas ajustar tu comunicación si fuera necesario. De momento, bastará con que recuerdes que todo lo que hagas en el escenario tendrá como objetivo influir en la audiencia de una forma u otra. Cuanto más específicos sean tus objetivos y tus acciones, más posibilidades tendrás de provocar una reacción en tus oyentes.

3. El orador como dramaturgo

El escritor debería ser, en la medida de lo posible,
un actor, ya que las personas más persuasivas
y conmovedoras son las que se encuentran
bajo la influencia de la verdadera pasión.

ARISTÓTELES, *Poética*

Al principio, actor y dramaturgo eran la misma persona. Cuando Thespis recibió el premio del primer festival de teatro del que se tiene constancia (en Atenas, en el año 534 a.C.), su victoria fue si cabe más completa porque él mismo había escrito todas y cada una de las palabras de la obra ganadora y había interpretado todos los papeles. Por supuesto, a lo largo de los años el teatro se fue convirtiendo en un arte de colaboración, y las profesiones de dramaturgo y actor se separaron. Pero desde William Shakespeare hasta Whoopi Goldberg, la tradición del escritor-actor ha pervivido, en parte porque siempre habrá grandes artistas que quieran asumir el control del proceso expresivo desde el principio.

En una actuación tan personal como un discurso, ese grado de control es un regalo. Sin duda, es posible hacer un buen trabajo con un discurso que haya sido escrito por otra persona (los presidentes de gobierno lo hacen continuamente), y las técnicas de ensayo que presentaremos más adelante te proporcionarán muchas herramientas para conseguirlo. Sin embargo, si escribes tu propio discurso, al igual que Thespis escribía hace siglos las obras de teatro que él mismo representaba, tendrás una gran oportunidad de maximizar su potencial dramático antes de pronunciar siquiera una palabra.

Reinventar el proceso de discurso

Si en el instituto tuviste un profesor de lengua que se preocupaba de que sus alumnos aprendieran cómo hablar en público, probablemente tuviste que enfrentarte al proceso tradicional de construir un discurso.

1. Elegir una tesis.
2. Organizar los puntos fundamentales a tratar.
3. Encontrar argumentos que sustenten tu tesis.

Con este método se logra un discurso bien organizado, pero tiene diversos inconvenientes. El más evidente es que se centra completamente en el orador y no tiene en cuenta en absoluto el papel de la audiencia. También pone el énfasis en la información estática y las ideas en lugar de ponerlo en objetivos y acciones dinámicas.

Por esos motivos proponemos la siguiente reinvención del proceso:

1. Decidir qué quieres que haga la audiencia.
2. Recopilar la información que vayas a necesitar para conseguirlo.
3. Interpretar la información de forma que la audiencia se sienta persuadida a hacerlo.

Como puedes ver, este proceso sitúa las necesidades de la audiencia en el centro del discurso, donde deben estar, y utiliza lo que sabemos sobre los beneficios de definir objetivos claros y llevar a cabo acciones contundentes. Decidir qué quieres que haga la audiencia es otra forma de decir: «Elijo un objetivo poderoso». Recopilar e interpretar la información requiere encontrar acciones o tácticas que llevarán a la audiencia a hacer efectivamente lo que tú deseas que haga. Este nuevo proceso de discurso aporta la misma organización y claridad que el tradicional, pero además se centra activamente en la relación del orador con la audiencia y, por lo tanto, tiene como resultado una exposición más efectiva.

En este capítulo examinaremos uno a uno y de forma detallada los pasos del proceso reinventado. Sin embargo, antes de poder aplicarlo eficazmente a tu discurso, necesitarás material con el que trabajar. Ha llegado la hora de pensar en qué es lo importante del tema que vas a tratar, qué tipo de discurso quieres pronunciar y quién va a oírlo exactamente.

Encontrar y centrar el tema

Pongamos que en tu agenda figura que debes pronunciar un discurso. (Si no es así, haz de actor y finge que sí lo es.) Tal vez alguien (¿tu jefe?) te haya dicho de qué quiere que hables, o quizá dependa enteramente de ti. En cualquier caso, lo primero que habrás de hacer será definir claramente el tema. En lugar de preguntarte: «¿De qué quiero hablar?», pregúntate: «¿Sobre qué pueden necesitar oír hablar?» Convertir las necesidades de la audiencia en el elemento central de la exposición desde el primer momento te reportará grandes beneficios más adelante.

Igual que a la hora de fijar objetivos y acciones, en este estadio ser específico es crucial. Si aún estás en ese punto en el que dices: «Voy a proponer algún brindis durante el discurso», o «Michaelson quiere que hable de marketing», ha llegado la hora de concretar un poco más.

Comienza pensando en lo que puedes ofrecer. ¿Has prestado especial atención a la presencia de la empresa en Internet? ¿Tienes alguna historia escandalosa acerca del novio? Empieza por ti mismo: tus gustos, tus conocimientos, tus experiencias, y toma nota de algunas ideas. Utiliza fichas y escribe una idea por ficha, para que posteriormente te resulte más fácil ordenar tus pensamientos.

¿Qué tipo de cosas deberás anotar? Todo aquello que creas que es importante en relación con el tema, y también lo que a tu madre le parezca más importante; lo más emocionante, inusual y embarazoso que se te ocurra sobre ello; otros temas que parezcan estar relacionados con éste; anécdotas que te vengan a la cabeza… En otras palabras, todo.

Hazlo durante unos minutos y después déjalo a un lado. Cuando haya pasado un rato, retómalo y escribe algunas ideas más en otras fichas. No juzgues; limítate a escribir. Vuelve a aparcarlo y retómalo de nuevo al cabo de un rato.

Dale a tu subconsciente tiempo para absorber todo lo que te viene a la cabeza. Siempre que salgas de casa lleva contigo algunas fichas y un bolígrafo para poder tomar notas si, por ejemplo, se te ocurriera algo estando en la gasolinera. Tu objetivo no es pensar en todo lo que vas a decir, sino tener diversas posibilidades entre las que elegir.

Una de las cosas más importantes que puede reportarte este tipo de lluvia de ideas es dejarte ver la cantidad de cosas que sabes. Si te das permiso a ti mismo para escribir con libertad, sin preocuparte por si tus ideas son buenas o malas (silenciando a tu crítico interno), seguro que descubrirás que sabes un montón de cosas relacionadas con el tema que has elegido, sea cual sea, y eso puede resultarte muy reconfortante, especialmente si te preocupa no saber qué decir. También puede resultarte un poco estresante, ya que al final tendrás tantas ideas que probablemente no podrás utilizarlas todas.

Así pues, tras haber generado un montón de ideas, deberás trabajar para centrarlas. Eso significa elegir y descartar, y para ello deberás buscar pautas en lo que has escrito. (A partir de ahora, las pautas constituirán una parte importante del proceso.) ¿Hay muchas ideas que encajen en una misma categoría? (¿Tendencias recientes? ¿Ideas erróneas? ¿Lecciones históricas?) ¿Crees que esa categoría puede tener un interés o un valor particular para tu audiencia? Debes encontrar un tema que conecte algunas de tus ideas entre sí y las haga llegar al público, y luego limita el tema a esas ideas. En función del tipo del discurso que vayas a pronunciar y de su longitud, deberás limitarte más a menos; de ello trataremos a continuación.

Tipos de exposición

Existen discursos de todos los tipos y extensiones. Pueden ser tan cortos como un brindis de veinte segundos o tan largos como una conferencia formal que dure un día entero. Pueden ser todavía más cortos o más largos. Todo depende del lugar, la audiencia y los objetivos del orador. Si no estás seguro del tiempo que deberías hablar, coméntalo con alguien. Entérate de quién organiza el acto en cuestión y pregúntale qué espera de ti. No tiene mucho sentido que sigas preparándote hasta que tengas al menos una idea del tiempo que deberás hablar.

Otro aspecto importante a tener en cuenta es hasta qué punto quieres preparar de antemano lo que vas a decir. ¿Qué tienes pensado? ¿Basar tu discurso en la improvisación? ¿Consultar tus notas de vez en cuando? ¿Escribirlo y luego leerlo? ¿Memorizarlo?

Antes de coger lápiz y papel o poner las manos sobre el teclado, te resultará muy útil saber qué tipo de exposición piensas hacer; así podrás tener presente un modelo que te servirá para estructurar tu discurso. A continuación encontrarás breves descripciones sobre los tipos básicos de discurso y las situaciones a las que mejor se ajustan.

El discurso improvisado

Es el que se va desgranando sobre la marcha. Eso no implica necesariamente que no se prepare, pero en cualquier caso la preparación es mínima. Se trata de aparentar que en realidad no has preparado nada y que lo que dices se te ocurre en ese momento. No utilizarás notas ni ninguna otra clase de texto, y tampoco memorizarás nada, excepto tal vez una lista de los principales puntos que quieras tratar.

Mucha gente opina que este es el tipo de exposición más deseable, ya que parece que uno habla fluidamente y con elocuencia de lo que se le va ocurriendo. Algunas personas piensan que las señales de que ha habido una preparación, como puedan ser las notas o los guiones, revelan que el orador no es lo bastante listo para pensar por sí mismo. No obstante, todo depende del contexto.

Si has de pronunciar un discurso a alto nivel, ciertamente no sería lo más idóneo que la audiencia creyera que las ideas que expones se te acaban de ocurrir. Por otro lado, si vas a proponer un brindis y tus palabras suenan excesivamente preparadas, quedarás (en el mejor de los casos) como alguien que se prepara demasiado las cosas.

El estilo improvisado es más adecuado para comentarios informales, no especialmente serios y que no vayan a durar más de cinco minutos. Si tu discurso va a ser más largo o crees que no te sentirás cómodo con tanta espontaneidad, probablemente un enfoque improvisado no sea la mejor opción.

Sin embargo, las habilidades que se requieren para pronunciar un discurso improvisado son esenciales para todos los oradores. Por muy bien preparado que esté un discurso, es muy conveniente poseer la flexibilidad necesaria para saltarse el guión si el ambiente o la situación lo requieren, del mismo modo en que lo hace un actor si alguien olvida una línea. En este mismo capítulo encontrarás el «ejercicio del chef», una herramienta de preparación que despierta la espontaneidad necesaria para poder improvisar con confianza.

El discurso espontáneo

Aunque los términos «improvisado» y «espontáneo» se suelen utilizar indistintamente, hablaremos de un discurso espontáneo cuando lo preparemos cuidadosamente antes de pronunciarlo, pero no elijamos las palabras exactas hasta el momento de hacerlo. Esta categoría incluye los discursos que están algo más preparados que los improvisados pero un poco menos que los totalmente organizados, que se suelen presentar con la ayuda de fichas.

El discurso espontáneo resulta apropiado en muchos contextos, desde los más relajados y divertidos hasta los más serios, siempre y cuando se desee un cierto grado de informalidad. Tiende a dar mejores resultados cuando uno tiene libertad a la hora de presentar su mensaje (es decir, cuando no hay que ceñirse a la línea de la empresa palabra por palabra), cuando la audiencia espera un cierto grado de interactividad en la exposición y cuando el entorno es más bien íntimo. Por supuesto, si sospechas que no te sentirás seguro guiándote tan sólo por fichas, deberías planificar otro tipo de discurso.

El discurso con guión

Como bien indica su nombre, este discurso implica que las palabras se han escrito con antelación y el orador lleva el texto con él al estrado, o bien lo ha memorizado palabra por palabra antes de pronunciarlo. Si el mensaje que has de comunicar se apoya en muchos datos, incluye una línea de pensamiento compleja o se beneficiaría de una formulación particularmente elegante, lo mejor será que escribas una versión completa del discurso para poder ceñirte a los elementos específicos. Más adelante, en el momento de tener que pronunciarlo, siempre puedes salirte del guión si así lo deseas.

El principal problema de un discurso completamente escrito es que, si no lo preparas bien, puede sonar encorsetado, como si no fuera tuyo y simplemente lo estuvieras leyendo o recitando de memoria. Tal como verás en capítulos posteriores, eso se puede evitar a base de ensayos y de un concienzudo análisis del texto.

Conocer a la audiencia

Si una noche asistes a un extravagante espectáculo de Broadway y a la noche siguiente presencias una «obra de ideas» en un sótano de Greenwich Village, desde luego observarás diferencias entre ambos públicos. Uno será más conservador y el otro más vanguardista, uno irá mejor vestido y el otro será más versado. (Decide tú cuál es cuál.)

Representar una de esas obras para el público de la otra sería un craso error. Para muchos miembros del público del Village, el espectáculo de Broadway sería una demostración de ñoñería capitalista. A los espectadores de Broadway, en cambio, la otra obra les parecería pretenciosa, vulgar y aburrida. En cualquier caso, la comunicación teatral no sería recibida del modo planeado.

Como miembro de pleno derecho de la escena que vas a crear, la audiencia merece tu total atención. Por mucho que te cueste creerlo, el compromiso del discurso no es contigo, sino con ellos. Cuanta más energía dediques a parecer listo, dar buena impresión y obtener un ascenso, menos probabilidades tienes de parecer listo, dar buena impresión y obtener un ascenso. Esa es la gran paradoja de la actuación: para lograr una buena interpretación, no puedes estar concentrado en lograr una buena interpretación.

Eso es especialmente cierto cuando se trata de hablar en público. La audiencia no acude para criticar tu desempeño, sino porque desean inspiración, o aprender algo, o que les convenzas de algo. De hecho, si cuando bajes del estrado lo único que recuerdan es que eres un buen orador, habrás fracasado tan estrepitosamente como si hubieran pensado que eras pésimo. No importa lo mucho que les gustes: si no logras que tu mensaje les llegue, no habrás conseguido tu objetivo principal como orador. El efecto exacto que deseas conseguir y cómo lograrlo (tus objetivos y acciones) dependen estrictamente de cada situación y son elementos que requieren toda tu atención, pero no podrás hacerlo hasta que dejes de centrarte en *ti* para centrarte en *ellos*.

¿Cuáles son los deseos y las necesidades de la audiencia y qué relación tienen con las cosas que quieres decir? La respuesta será distinta en función de la audiencia, si bien todos los públicos tienen determinadas cosas en común. En primer lugar, todos quieren que hables de ellos, no de ti; quieren sentir que te tomas en serio sus necesidades, y por eso te resultará muy útil que te tomes realmente en serio sus necesidades.

Esta afirmación es cierta incluso en el caso de que estés exponiendo un punto de vista diametralmente opuesto al de la audiencia: sólo lograrás ser efectivo si consigues convencerles de algún modo de que tu punto de vista les beneficia también a ellos (si no en ese preciso momento, sí a largo plazo). El eterno debate político sobre la reducción del gasto público es un gran ejemplo de este singular fenómeno. Muchos ciudadanos recibirían un beneficio mucho más inmediato si se redujeran los impuestos que si se redujera el gasto público, pero muchos políticos han argumentado que, en conjunto, la reducción del gasto es mucho mejor para el país, para la economía y, por lo tanto, también para el contribuyente. Y, en general, la gente se lo ha creído.

El éxito de un discurso es directamente proporcional al éxito que se logra a la hora de dirigirse a las necesidades de la audiencia. Quienes te escuchan se preguntan qué van a sacar de lo que les planteas. ¿Cómo se beneficiarán? ¿Les enseñará a ganar más dinero? ¿A gozar de más respeto? ¿A ser más felices en la vida? ¿A comprender y disfrutar de algo o de alguien de forma más provechosa y placentera? Piensa en la última vez que oíste a alguien pronunciar un buen discurso y te darás cuenta de lo universal y fundamental que es esa idea; el discurso decía más cosas de ti que del orador, ¿no es cierto?

Tu público puede estar formado por personas que ves cada día, por completos extraños o por una mezcla de ambos. Por mucho que creas conocerlos, antes de dedicar más tiempo a pensar qué vas a decir, deberás considerar las siguientes cuestiones:

¿Cuál es su nivel de conocimiento o familiaridad con el tema?

¿Esperas que estén interesados en el tema?

¿Qué partes de las ideas que presentas o de tus conocimientos pueden resultarles nuevas?

¿Qué actitud es más probable que adopten inicialmente en relación con tu mensaje: cordial, hostil o indiferente?

¿Por qué creen que estás ahí? ¿Qué esperan?

¿Se trata de personas que toman grandes decisiones o de personas con menos responsabilidades? ¿En qué sentido puede afectar eso?

¿Se trata mayoritariamente de hombres o de mujeres? ¿En qué sentido puede afectar eso?

¿Se trata mayoritariamente de personas mayores o de jóvenes? ¿En qué sentido puede afectar eso?

¿Qué problemas tienen? ¿Qué les quita el sueño?

¿Qué objeciones pueden presentar a lo que vas a decirles?

¿Qué es lo peor que podría pasarles si no oyeran tu discurso?

¿Cuál es el mayor beneficio que puede reportarles el hecho de oír tu discurso?

¿Qué es lo que más necesitan oír y por qué necesitan oírlo?

¿Qué reacción te gustaría que mostraran mientras te escuchan?

¿Qué es lo que te gustaría que hicieran inmediatamente después de escucharte? ¿Y al día siguiente? ¿Y al cabo de una semana? ¿Y dentro de un mes?

Por lo general, la mejor manera de comenzar a responder estas preguntas es hablar con alguien, y las mejores personas con quienes puedes hablar son las encargadas de organizar el acto en cuestión. No las dejes en paz hasta que te hayan respondido todo lo que desees saber: más adelante te lo agradecerán.

Puedes utilizar esa información y tu nueva forma de pensar para centrarte en las ideas que se te hayan ido ocurriendo. Ya has tenido que enfrentarte al hecho de que no podrás explicarles todo lo que sabes; ahora has de enfrentarte al hecho de que no debes contarles necesariamente lo que a ti más te gusta.

El gurú de la oratoria Dale Carnegie asegura que la mente de un oyente no puede retener más de cuatro o cinco ideas principales en treinta minutos, y tiene razón. Así pues, independientemente de la extensión de tu discurso, debes asegurarte de que te centras en el contenido que tenga más posibilidades de despertar algo en la audiencia. Echa un vistazo a los resultados de la lluvia de ideas y piensa cuáles de ellas pueden necesitar oír las personas concretas ante las que vas a pronunciar el discurso.

Una vez sepas muchas cosas sobre el público, tal vez descubras que necesitas saber más sobre el tema del que vas a hablar. Entonces habrá llegado el momento de comenzar a reunir información llevando a cabo, si fuera necesario, una pequeña investigación. Lo ideal sería que, en la medida de lo posible, te convirtieras en un experto en el tema para que la gente tenga motivos para escucharte. (Asegúrate de que has limitado el tema a un ámbito que te permita conseguir un dominio razonable de la materia.) Si alguna de las ideas que presentas se apoya en datos que no conoces, búscalos. Si el hecho de conocer el nombre de la guardería a la que fue la novia puede ser positivo para tu historia, averígualo. No es necesario que te entusiasmes, pero debes conocer tantos detalles como puedas antes de pasar a redactar el discurso.

El ejercicio del chef

Quizás te parezca precipitado, pero una vez hayas creado unas cuantas fichas y hayas pensado un poco en el público, habrá llegado el momento de comenzar a pronunciar las primeras palabras.

A continuación presentamos un ejercicio que te resultará de gran utilidad a la hora de determinar tu situación en este estadio y en qué debes centrarte antes de seguir adelante. El ejercicio consta de dos pasos: el primero va dirigido a mejorar las habilidades generales de la oratoria y el otro es de aplicación directa al discurso.

Se trata de lo siguiente: elige un tema del que no sepas prácticamente nada (arte japonés, cocina francesa, física, lo que sea) y otórgate el grado de experto en la materia. Si no sabes nada sobre la reparación de automóviles, finge que acabas de conseguir un trabajo como mecánico. Si eliges hablar de cocina, finge que eres un chef (de ahí el nombre del ejercicio).

Sé valiente y elige un tema en el que seas una nulidad absoluta. Después imagina que nosotros te hemos llamado para pedirte que pronuncies una conferencia sobre ese tema.

Parece imposible. Seguro que piensas: «¿Qué podría decir?»

Pues te equivocas. Se trata de un ejercicio de actuación; utiliza la imaginación. Te hemos llamado para que hables ante un grupo de personas que están dispuestas a creer que eres un experto; esas personas necesitan información y tú se la vas a dar.

Comienza concretando el tema. Si has elegido la cocina, imagina que te hemos pedido que hables sobre la carta de tu nuevo restaurante; si has elegido el arte japonés, tu tarea consistirá en glosar las últimas tendencias; si ha optado por la reparación de automóviles, háblanos de lo que debemos hacer la próxima vez que algo traquetee bajo el capó.

Si lo deseas puedes hacer el ejercicio en solitario, pero será mucho más útil si alguien te está escuchando, de modo que te recomendamos que reclutes a un amigo. Planea hablar durante dos minutos y tómatelo en serio. Sal de la sala y vuelve a entrar convertido en un experto presto a resolver los problemas del público; finge que has pasado horas preparándote, y haz lo imposible para convencerles de que sabes más que nadie.

He aquí lo más importante: no pares de hablar. No te detengas a juzgarte; no te disperses titubeando, riéndote, mirando hacia otro lado o «saliéndote del personaje». Por increíble que parezca, si sigues las instrucciones descubrirás que tienes cosas que decir y que puedes decirlas con autoridad.

Inténtalo.

Esto es lo que probablemente te sucedió al realizar el ejercicio del chef: titubeaste, te reíste, miraste hacia otro lado y «te saliste del personaje». Algunas veces dijiste mentiras escandalosas y diste pésimos consejos. Hubo momentos en los que te sentiste como un impostor, hasta tal punto que no se te ocurría nada más que decir. O tal vez ni siquiera te molestaste en hacer el ejercicio porque te pareció inútil.

Sin embargo, si lo intentaste y conseguiste no ser demasiado severo contigo mismo, probablemente recuerdes determinados momentos en los que descubriste que en tus palabras había algo creíble y sustancioso. Tal vez dijiste que se debía revisar periódicamente el coche, o que un elemento muy característico de la carta de tu nuevo restaurante sería una crema de chocolate especial que se iba a servir con todos los postres. Puede que no se tratara de ideas brillantes, pero si encontraste la forma de creer en ellas mientras hablabas, estás en el buen camino, que te llevará a dominar el inapreciable arte de no parar de hablar.

Si crees que podrías hacer un mejor trabajo con un segundo intento, concédete sesenta segundos más y prueba de nuevo.

La mayoría de las personas que realizan este ejercicio descubren que lo hacen mucho mejor de lo que habían imaginado. Puede resultar duro combatir la tendencia a juzgarse y autocensurarse, pero si practicas este ejercicio verás que dispones de la capacidad (todo el mundo la posee) de hablar con autoridad, incluso sobre un tema del que no sabes absolutamente nada.

A continuación utilizaremos este ejercicio como herramienta para desarrollar tu discurso.

En esta ocasión el tema será el que tratarás realmente en tu discurso. Asígnate el papel de experto en la materia. (Por supuesto, es muy posible que efectivamente seas un experto en ese ámbito, pero incluso en el caso de que no lo seas, finge que es así.) Piensa un poco en las personas que es probable que compongan la audiencia ante la cual pronunciarás tu discurso y elige un objetivo, algo que desees que esas personas hagan como consecuencia de oírte hablar. (No tiene por qué ser el objetivo «adecuado»; tan sólo se trata de que tengas un motivo para hablar.) A continuación, concédete entre uno y diez minutos (no más) para pronunciar un discurso completo sobre el tema. No esperes que se parezca en absoluto al que finalmente pronuncies ante el público: estamos realizando el ejercicio del chef. Lo que tienes que hacer es imaginar que tu audiencia ha expresado la necesidad de comprender algo, y que tú perseguirás tu objetivo con total autoridad, con frases rotundas, sin balbuceos ni tartamudeos, como si estuvieras sumamente preparado y no hubiera en el mundo nada que desearas más que pronunciar este discurso.

En esta ocasión, graba tus palabras.

Adelante.

Considera el discurso que acabas de grabar como tu primer borrador. No tienes por qué escucharlo inmediatamente (hay personas que detestan el sonido de su voz hasta el punto de que eso puede resultarles contraproducente), pero si te ves con ánimos hazlo; si no es así, pon la cinta en un lugar seguro para poder encontrarla con facilidad cuando cambies de opinión. Si eliges no escucharla inmediatamente, piensa en lo que has dicho.

El resultado ha sido un discurso desestructurado, naturalmente, ya que hasta ahora aún no has prestado ninguna atención a la idea de estructura. Ha sido una divagación, y eso es precisamente lo que se suponía que debía ser.

Es muy probable que lo que has dicho indique claramente los puntos que consideras esenciales de tu discurso. Es probable que hayas dicho muchas cosas que no esperabas decir y tal vez descubras con sorpresa que en tus palabras hay grandes ideas, o expresiones especialmente oportunas. Eso es oro. Olvídate del barro en el que se ocultaba; lávalo en el arroyo y quédate con ese buen material.

Anota las ideas, conexiones, ejemplos o frases que te gustaría salvar de este experimento. Si crees que salió particularmente bien, transcríbelo todo y utilízalo como boceto para empezar a trabajar.

Estructurar el discurso

Ahora que ya tienes una base sobre la que trabajar, volvamos al proceso de desarrollo del discurso descrito al principio de este capítulo. Como recordarás, los tres pasos para construir un discurso verdaderamente persuasivo son:

1. Decidir qué quieres que haga la audiencia.
2. Recopilar la información que vayas a necesitar para conseguirlo.

3. Interpretar la información de forma que la audiencia se sienta persuadida a hacerlo.

Ahora estás preparado para aplicar este proceso al discurso que estás creando. Analicemos los tres pasos de forma detallada:

1. Decide qué quieres que haga la audiencia.

Anota algunas posibilidades para el objetivo principal que te propones lograr. ¿Cuál te parece más poderosa? ¿Es alcanzable? (Apuntar alto está bien.) ¿Es específica? ¿Cómo puedes fortalecerla? No te conformes con que la audiencia se limite a asentir o aplaudir; elige algo realmente activo, como: «Quiero que corran al teléfono para empezar a poner en práctica las nuevas técnicas que les he descrito».

Este puede muy bien ser tu «superobjetivo», y debe ajustarse a la forma: «Quiero que la audiencia_____». Cuando hayas formulado tu superobjetivo y estés seguro de que es específico, alcanzable y tan poderoso como puedas imaginar, anótalo en una hoja de papel nueva y tenlo a la vista.

2. Recopila la información que necesites para conseguir que la audiencia haga lo que deseas que haga.

Echa un vistazo a tus fichas. Ahora que tienes objetivos poderosos en mente, ¿qué ideas te parecen fundamentales y cuáles secundarias? Descarta estas últimas. (Amontona las fichas con ideas secundarias y ponles encima un letrero que las identifique como tales. O mejor aún: deshazte de ellas.)

De los hechos e ideas que quieras conservar, algunos se atraerán de forma natural entre sí. Los motivos del descenso del número de embarazos entre adolescentes estarán íntimamente relacionados con las estadísticas de embarazos de adolescentes, por ejemplo. Haz montoncitos con las fichas que consideres que están relacionadas entre sí. Puedes hacer los que te plazca, ya sean muchos o pocos. Si se te ocurren nuevas ideas, anótalas en fichas nuevas y encuéntrales su propio montoncito.

¿Consideras que dispones de un determinado número de cuestiones fundamentales que tienen cuestiones secundarias vinculadas? Pues haz otros montones con estas últimas. ¿Qué fichas se corresponden con qué objetivos? ¿Sugiere esta relación alguna forma útil de agruparlas?

A lo largo de este proceso es importante tener presente que no existe una forma correcta de hacer las cosas y, en consecuencia, tampoco hay una forma incorrecta de hacerlas. Como en cualquier esfuerzo creativo, se trata de trabajar con posibilidades. Más adelante se puede reformular todo, de modo que no hay nada que temer. Une algunos montones con otros.

3. Interpreta la información de forma que la audiencia se sienta persuadida a hacer lo que tú deseas que haga.

Echa un vistazo a tu lista de objetivos. Realiza una «lluvia de ideas» para cada uno de ellos con el fin de determinar una acción o una serie de acciones que puedan ayudarte a lograrlo. Por ejemplo, el objetivo: «Quiero que la audiencia apoye mi sociedad benéfica para niños indigentes» puede sugerir las siguientes acciones: hacer que hiervan de rabia por la situación de un niño marginado, asustarles esbozando las consecuencias de la indiferencia, entusiasmarles con los prometedores resultados de un programa piloto o pedirles dinero. (¡A veces una petición directa es la mejor de todas las acciones!) Anota todas las tácticas que se te ocurran; no te está permitido seleccionar.

Un discurso en tres actos

Ahora que ya has definido tus objetivos y has considerado tus acciones, deberás unirlo todo de manera lógica y significativa, prestando atención a la forma que tomará tu exposición. A pesar de que hay muchos tipos de discurso, casi todos los buenos pueden dividirse en un inicio, una parte central y un final. Eso suena simplista, pero sigue la estructura dramática clásica en tres actos que Aristóteles defendía en su *Poética* hace dos mil años y que aún hoy es irrefutable. En

términos teatrales, los tres actos suelen denominarse plante-
amiento, nudo (que culmina en el clímax) y desenlace. En la
oratoria se les suele llamar introducción, cuerpo y conclusión.

Es importante que comprendas con cierta profundidad
la «trama» principal de tu discurso antes de decidir cómo co-
menzarlo y cómo concluirlo; por ese motivo empezaremos
hablando del segundo acto, la parte central del discurso.

El cuerpo

El cuerpo del discurso es la parte en la que tú comunicas a quienes te escuchan lo que necesitan oír y les ayudas a
comprender la información para que terminen haciendo lo
que tú deseas. En cierto modo, a la hora de conseguir un objetivo la forma es tan importante como el contenido. Teniendo eso presente, ha llegado el momento de comenzar a organizar las ideas en pautas de pensamiento.

Trazar un esquema

Existe una realidad matemática fundamental subyacente al
proceso de creación de un discurso: Información + Información + Información = 0.

Muchos oradores trabajan con la falsa suposición de que
Información + Información + Información = Algo de valor.
Plantean una idea y la defienden; luego plantean otra y la
defienden, y así hasta el final. Lo que les falta son las pautas
que hacen que esas ideas y los argumentos que las defienden
se relacionen entre sí y con los objetivos del orador. Se trata

de establecer conexiones. No esperes que la audiencia lo haga por sí misma, porque no lo hará. Primero debes crear las conexiones que quieres que la audiencia vea, y luego encontrar un modo de asegurarte de que las ve.

Estamos hablando del nivel estructural más elevado, el armazón del cuerpo del discurso; del bosque, no de los árboles; del plan maestro. Hasta ahora no existía, pero ya es hora de que le dediquemos algo de tiempo.

Ha llegado el momento de hacer tu primer esquema, aunque no uno de esos en los que se utilizan números romanos. Elige un posible orden para tus montoncitos de fichas y toma algunas notas acerca del motivo por el que prefieres un orden y no otro. No lo tomes como una receta o un anteproyecto, sino como una representación de tus primeras ideas acerca de cómo pueden unirse las piezas del rompecabezas. No te detengas demasiado tiempo en esta fase. Utilízala simplemente como una oportunidad para ver lo que tu subconsciente ha estado pensando acerca de las conexiones más satisfactorias que se pueden establecer entre todas esas piezas desordenadas.

El orden de las fichas será tu esquema, y prepárate para verlo variar. A medida que vayas reforzando la organización del discurso, probablemente quieras introducir algunos elementos nuevos, eliminar otros y cambiar algunas cosas. Imagina que eres un guía turístico que intenta encontrar la mejor ruta; intentarás formarte una idea lo más sólida posible de cuáles son las partes largas del viaje y cuáles las más cortas y de la relación exacta que existe entre todas esas partes.

* * *

Pautas contrastadas

Si puedes identificar una pauta que explique por qué has ordenado los montoncitos de la forma en que lo has hecho, y si es aplicable a todos y cada uno de ellos, puede que hayas dado ya con tu estructura ideal. Si todavía no lo puedes explicar, probablemente debas pensar más profundamente en las conexiones posibles.

Por supuesto, existen muchas estructuras organizativas probadas y contrastadas que puedes utilizar para perseguir tu superobjetivo. He aquí algunas de las más comunes:

Problema y solución: En esta estructura se plantea una imagen clara de un problema y luego se presentan los pasos que conducen a su solución.

Orden cronológico: Si el desarrollo histórico de un fenómeno parece tener un papel importante, puedes lograr tu objetivo analizando los cambios producidos desde un punto determinado hasta el presente.

Buenas noticias y malas noticias: ¿Resultaría útil comparar aspectos positivos con aspectos negativos en el discurso? Otras estructuras organizativas similares son: viejo y nuevo, nosotros y ellos, presente y futuro e innovaciones y continuismo.

Metáfora global: ¿Existe alguna imagen que vincule tus ideas y potencie su significado colectivo? Tomar el bosque como discurso, los árboles como ideas, las raíces como los argumentos en los que éstas se sustentan y el oxígeno como el beneficio que se produce, por ejemplo.

Por supuesto, puedes descubrir o inventar una estructura propia. Lo que necesitas es una pauta que incluya todo lo que deseas que tu audiencia comprenda y que, al mismo tiempo, les ayude a comprenderlo.

Tácticas

Una vez tengas la sensación de que dispones de una estructura de alto nivel para tu discurso (el armazón), has de empezar a darle cuerpo con acciones concretas. Comienza eligiendo una de las acciones de la anterior lluvia de ideas, como, por ejemplo: «alabarles por un trabajo bien hecho». Decide en qué punto del discurso deseas llevar a cabo esa acción y luego mira las fichas. ¿Cuáles se prestan a esa acción en concreto? Tal vez encuentres una relacionada con un aumento de las ventas como resultado de un gran trabajo en equipo; obviamente puedes utilizar esa información para alabarles.

Debes revisar también tu lista de objetivos. ¿Crees que serás capaz de lograrlos todos con el material que has reunido? Tal vez descubras que no te has aplicado lo suficiente en la lluvia de ideas y no has obtenido suficientes acciones contundentes para perseguir con éxito tus objetivos. He aquí algunas tácticas efectivas para añadir a tu repertorio:

Estadísticas
Si se interpretan correctamente, unas cifras reveladoras pueden valer su peso en oro; desde luego, poseen el brillo de los hechos irrefutables.

Elige las estadísticas más llamativas que puedas encontrar. Por supuesto, debes cerciorarte de que sus datos son correctos y presentarlos en un contexto que facilite la interpretación de su valor por parte de la audiencia. Revela la fuente de los datos siempre que creas que eso pueda reforzar su credibilidad y juega con los números para encontrar la mejor forma de presentarlos.

Al utilizar las estadísticas, la idea es plasmar una imagen en la mente de la audiencia. Unas veces resulta más útil decir que los beneficios aumentaron un 38 por ciento; otras tiene mucha más fuerza decir que han subido cuatro millones y medio de dólares (si bien en la mayoría de casos no es recomendable utilizar el número exacto: 4.502.341 dólares resulta mucho más difícil de recordar); incluso hay ocasiones en las que la audiencia visualizará mucho mejor los datos si señalas que el aumento de los beneficios de este año fue superior al de los dos años anteriores juntos, o si explicas que en caso de que los beneficios sigan aumentando a este ritmo, en cinco años la empresa habrá multiplicado sus beneficios por ocho.

Sé creativo y utiliza las cifras para provocar un impacto duradero en tus oyentes. Recuerda: si tienes alguna cifra interesante, ¡exhíbela!

Ejemplos personales

Casi todos los discursos, desde los más poéticos hasta los más comerciales, se verán beneficiados con la inclusión de algún dato personal. El motivo principal por el que pronuncias el discurso en lugar de entregarlo por escrito es que la audiencia pueda beneficiarse de tu interpretación humana y de tu compromiso con el tema. Puedes fortalecer tu conexión con la audiencia (y, por lo tanto, la conexión de ésta contigo) añadiendo cosas que nadie excepto tú podría decir. Un toque personal también hará que el discurso resulte más divertido tanto para ti como para quienes te escuchan.

¿Alguna parte del tema te recuerda una historia? Por supuesto, la respuesta real a esta pregunta es que probablemente no. Los oradores dicen siempre: «Eso me recuerda una historia». No obstante, eso no significa que la hilarante historia de la fiesta de cumpleaños que se fue al garete acudiera a la mente del orador en el preciso instante en el que decidió hablar sobre las lenguas indoeuropeas. Resulta siempre agradable tener una historia personal que contar relativa al tema. Sin embargo, es probable que ésta no se materialice por sí sola, en cuyo caso habrás de buscarla.

Comienza preguntándote en qué medida te afecta personalmente el tema. Si tu primera respuesta es que no te afecta en absoluto, recházala y busca una conexión. Si estás hablando de la banca internacional, tus experiencias en el cajero de la esquina pueden aportar una luz inesperada. Si estás haciendo una presentación para un grupo de vicepresidentes de bancos, no te olvides de utilizar también anécdotas sobre cajeros automáticos.

Además de pensar en cómo puede estar relacionado el tema con tu vida, intenta pensar en cómo está relacionada tu vida con el tema. Dale Carnegie te recomienda echar un vistazo a los acontecimientos más importantes de tu vida y preguntarte si hay alguna lección que pueda resultarte útil. Si mientras estás preparando el discurso vas a un supermercado, ten los ojos bien abiertos. Tal vez la longitud de las colas en las cajas te sugiera alguna idea sobre los canales de distribución de productos. Recuerda que tu público también va a los supermercados. Intenta encontrar una historia que les comprometa a nivel personal y ofréceles una nueva perspectiva desde la cual contemplar parte de tu mensaje.

Ese es el objetivo de contar cualquier historia: utilizar tu propia experiencia como un ejemplo de la experiencia humana universal. El motivo por el que tal vez valga la pena que hables de tu frustrante experiencia en un cajero automático es que puede hacer que el público se identifique contigo. En ese momento estarás creando un vínculo humano y al mismo tiempo arrojarás luz sobre el tema.

En la mayoría de los casos, el discurso no trata sobre uno mismo, así que las historias personales que no te ayuden a conseguir tus objetivos resultarán inapropiadas. Asegúrate de que la historia que elijas tiene que ver con el tema tratado y haz cuanto esté en tu mano para que eso quede lo más claro posible.

Otras historias

Por supuesto, además de tus propias historias personales también puedes explicar otras que hayas oído o leído en los periódicos. Todos los comentarios del apartado anterior acerca de la necesidad de que la historia tenga que ver con el tema y conecte con el público son también aplicables aquí. En cierto modo, cualquier historia que cuentes deberías enfocarla como una historia personal; tu trabajo consiste en encontrar una conexión personal con ella.

Supongamos, por ejemplo, que decides hablar sobre aquella vez en que George Bush padre se cayó del estrado.

(Daremos por sentado que tienes una buena razón para hacerlo.) ¿Cuál es tu interés personal en esa historia? ¿Te pareció divertida? ¿Embarazosa? ¿Alarmante? ¿Cómo te enteraste de ella? ¿Por qué crees que te quedó marcada hasta el punto de que ahora decidas contarla? Cuantas más cosas nos cuentes de tu relación con la historia que vas a explicar más interesados estaremos en oírla.

Humor

¿Saben aquel chiste que dice…?

Deberías incluir momentos de humor. Eso es válido para presentaciones de trabajo, para conferencias e incluso (o especialmente) para discursos de elogio (y no es broma.) Por muy serio que creas que es tu mensaje, algo de ligereza lo dotará de mayor efectividad. Tal vez puedas prescindir de ello si estás leyendo el discurso sobre el estado de la nación, o anunciando el bombardeo de Pearl Harbor, pero en la mayoría de discursos no presidenciales el humor es obligatorio.

Puede ayudar a limar controversias y aliviar tensiones, puede hacer que el público vuelva a prestar atención si estaba distraído y, lo que es más importante, puede lograr que les gustes.

Todo el mundo agradece pasar un buen rato con alguien que tiene sentido del humor, y si el público se lo pasa bien, tendrás muchas más posibilidades de lograr tu objetivo que si se aburre.

Muchos oradores temen no saber ser graciosos. Más adelante trataremos cuestiones relativas a cómo introducir elementos divertidos en el discurso, pero si abordas correctamente el tema del humor, te percatarás de que no hay ninguna necesidad de tener una personalidad especialmente sandunguera o una habilidad mágica a la hora de contar chistes. El humor más importante y efectivo es sutil. Se trata de encontrar el lado irónico de un comentario, dar la impresión a la audiencia de que no te tomas demasiado en serio a ti mismo. Puede ser algo tan simple como una sonrisa de complicidad, un guiño metafórico como diciendo: «¡Todos hemos pasado por *esto*!»

Esos pequeños instantes pueden tomar muchas formas.

La autocrítica, cuando es sincera, es una forma fantástica de aligerar las intervenciones en público. Puedes reírte un poco de ti mismo y eso te hará ganar el respeto de tus oyentes, ya que te verán como una persona natural y segura de sí misma.

No tengas miedo de utilizar datos extraños o poco usuales porque creas que no son lo bastante solemnes; el peso exacto de la Gallina Caponata puede resultar una información útil si tu público está formado por granjeros.

Yuxtapón incongruencias, mezcla metáforas, intensifica las ironías, reinventa los clichés, exagera, quita hierro a los asuntos, busca aliteraciones y rimas, atrévete a retratar el lado tonto de las cosas. Si demuestras al público que comprendes algo, por pequeño que sea, potenciarás en él el sentimiento de que realmente estás de su lado y sabes cómo oyen lo que les estás diciendo. Incluso cuando no hayas incluido esos momentos de ligereza en un discurso conscientemente, sólo deberás buscarlos para encontrarlos; y si los pasas por alto, el público lo notará y se preguntará por qué no has visto el lado divertido del asunto.

Si prestas un poco de atención a esas pequeñas oportunidades, podrás dotar tu discurso de un gran sentido del humor sin contar ni un solo chiste. Sin embargo, tal vez te guste contar chistes o pienses, por algún motivo, que un chiste daría fuerza a tu exposición. En ese caso, adelante, utiliza uno.

Si finalmente decides explicar un chiste, asegúrate de que sea pertinente. Por supuesto, también es importante que elijas uno que te parezca divertido, que te conste que no es muy conocido y que sea apropiado para tu audiencia; no obstante, lo fundamental es que sea pertinente.

Cuando un actor aborda un papel cómico, se muestra siempre muy cauteloso con los chistes que no están relacionados con el personaje o la situación, ya que parece que están ahí sólo para provocar una sonrisa. Algunas veces la consiguen, por supuesto, pero otras no, y cuando un chiste no obedece a un propósito más esencial que ese puede producir resultados opuestos a los deseados. Por el contrario, si dice algo sobre el personaje, está relacionado con el tema o profundiza en el argumento, un fracaso a la hora de provocar la carcajada no supone ninguna catástrofe.

El mismo principio es aplicable en tu caso: si un chiste es pertinente, jamás podrá hundirte.

La forma de lograr que un chiste sea pertinente es establecer una analogía. Digamos, por ejemplo, que la tostada siempre cae del lado de los beneficios de la empresa. Independientemente de cuál sea la conexión, asegúrate de que haces todo cuanto esté en tu mano para garantizar que la analogía queda clara.

Aun cuando un chiste arranque apenas una sonrisa, si la analogía es clara y válida, el público verá que responde a un objetivo importante y nadie te culpará por no ser lo bastante divertido. Si además arrancas una carcajada, eso ya será el colmo. Sin embargo, si no logras establecer una conexión sólida entre el chiste y algún concepto más elevado, tal vez el público se muestre encantado porque los hayas hecho reír, pero eso será lo único que recuerden; habrás eclipsado tu mensaje. Además, si por algún motivo no les parece divertido, querrás que se te trague la tierra.

Si te gustaría contar un chiste pero no sabes de dónde sacarlo, comienza a prestar más atención a las cosas divertidas que oyes a diario en la televisión y en la vida en general, y aprópiate de ellas. Cada vez que una teleserie te haga reír, pregúntate si puede existir alguna analogía entre ese chiste y tu discurso. Si eres una persona que habla en público con frecuencia, te resultará muy útil tener una libreta en la que apuntar chistes que te hayan parecido divertidos y revisarla cada vez que redactes un discurso para buscar analogías. También puede serte muy útil el *Selecciones del Reader's Digest*, las películas o series cómicas, los chistes de los periódicos e Internet. Otra opción es llamar a un par de amigos divertidos y pedirles que te hagan reír un rato. Tómate sus chistes muy en serio y anótalos.

Otros recursos

Ejemplos. Utiliza muchos ejemplos. Especialmente en el caso de que tengas que comunicar una gran cantidad de información abstracta, el público estará deseando alguna ilustración concreta de la aplicación práctica del material, o de la repercusión que puede tener en su propia vida. Si no les queda claro cómo se ponen en práctica tus ideas, desconectarán.

Preguntas. Haz preguntas al público. Incluso en los discursos escritos, tomarse algo de tiempo para obtener información del público, aunque sea mediante una votación a mano alzada, te reportará un beneficio por lo menos triple: dará a entender a la audiencia que te importan sus ideas y experiencias, te permitirá imprimir un cambio de ritmo al discurso y te aportará una información que puede ayudarte a centrar el resto del discurso en las necesidades de la audiencia.

Citas. Cita a una autoridad, o a alguien que no sea una autoridad pero que haya dicho algo ingenioso o inspirado sobre el tema del que hablas. (Echa un vistazo a un diccionario de citas y a otras recopilaciones, a libros escritos por visionarios en su campo, y presta atención incluso a los telediarios.) Ayuda a tus oyentes a interpretar la cita de la forma que te interese.

Suspense. ¿Se te ocurre alguna forma ingeniosa de mantener al público en vilo? Tal vez puedas evitar revelar un detalle crucial en la descripción de una situación, o dejar caer comentarios crípticos a lo largo del discurso que sólo cobren perfecto sentido al final. Se trata de un recurso dramático que puede resultarte muy útil a la hora de cautivar la atención del público, pero que sólo funcionará si el suspense tiene una buena recompensa. Sin embargo, incluso en el caso de que no apuestes por un enfoque con suspense, es una buena idea crear expectativas en la exposición del tema y llegar a la parte más potente (el clímax) cuando estés terminando el cuerpo del discurso o te acerques al momento de las conclusiones.

Por supuesto, todas estas tácticas no son más que ideas. Seguro que podrás encontrar otras formas fantásticas de perseguir tu objetivo con claridad, fuerza y entusiasmo. Lo más importante es que encuentres tantas formas de llegar a tu público como puedas. Sierra a una mujer por la mitad si crees que puede resultarte útil.

La introducción

El primer acto es donde conocemos a los personajes, donde descubrimos parte de la información necesaria y donde arranca el argumento; no hay tiempo de andarse por las ramas. Una introducción dispersa o demasiado larga puede impedir que te ganes el respeto o la simpatía del público, por muy bueno que sea el resto de tu discurso.

El comienzo suele considerarse la parte más difícil de un discurso, y con razón. Probablemente será la parte en la que estés más nervioso y falto de ritmo, y tal vez no te habrás acostumbrado aún al entorno, la iluminación y los rostros que te observan. Deberás concentrarte en cosas que no guardan relación con tu mensaje, como realizar la transición a partir del discurso previo del presentador o lograr la atención de un público revoltoso. Y aquello de que las primeras impresiones son importantes es cierto.

Con esto no pretendemos asustarte: todos esos obstáculos son fácilmente superables (y serán tratados de forma específica en próximos capítulos). Sin embargo, sirven para ilustrar hasta qué punto es importante prestar especial atención a la introducción. Incluso en el caso de que improvises tu discurso, deberías preparar con detalle la introducción.

Si nadie te presenta, deberás hacerlo tú mismo. Aporta exactamente la información que el publico pueda necesitar para creer en tu autoridad y saber qué relación se ha de establecer entre ellos y tú. Una vez hecho esto, adelante.

He aquí lo que debes lograr en la introducción: establecer de forma clara y directa las cuestiones específicas que vas a tratar, explicar cómo vas a tratarlas y convencer a tus oyentes de que lo que vas a decir les interesa. Si logras estas tres cosas de forma creativa y sucinta, tendrás un gran comienzo.

Muchos oradores, tal vez en un intento de ganar puntos a base de modestia, eligen comenzar con algún tipo de disculpa. Eso es un error: si lo haces, estarás minando tu imagen desde el comienzo. Sin embargo, puede ser realmente tentador decir algo como: «Muchísimas gracias por sacar tiempo de sus ocupadísimas agendas para estar hoy aquí. Les prometo que no les robaré mucho tiempo». Es un comienzo realmente educado, pero da a entender que el público podría estar haciendo cosas mucho más productivas que escucharte. Y aun cuando sea cierto, no es precisamente el mensaje con el que querrás que ocupen la mente desde el principio de tu intervención.

Así pues, ¿cómo hay que hacerlo? «Estoy aquí para hablar de la importancia de los detectores de humos caseros. A continuación enumeraré las ventajas de tener uno en cada habitación, explicaré unas cuantas historias de miedo y terminaré con una comparación de las virtudes y los defectos de las diferentes marcas. Es algo que merece su atención, porque sus vidas están en juego.»

Bueno, no exactamente.

Se trata de un comienzo sucinto que aporta la información básica que necesitamos, pero el elemento creativo brilla por su ausencia. El orador nos ha explicado lo que nos puede ofrecer, pero no ha conseguido atravesar las candilejas y captar nuestra atención con algo que apele a nuestra humanidad. Como resultado, y a pesar de que la introducción nos *dice* que debemos prestar atención al tema, no nos *convence* de que lo hagamos y, por lo tanto, fracasa en el objetivo principal de toda introducción.

Una forma mejor de abordarlo sería comenzar contando una de las historias de miedo; de ese modo nos cautivaría al momento porque apelaría a nuestras emociones. Una vez conseguido eso, el orador podría esbozar un esquema del discurso y lanzarse. Se cumplirían todas las condiciones de una buena introducción y tendríamos un buen motivo para prestar atención al resto de lo que tuviera que decirnos.

Aunque no quieras ser excesivamente grandilocuente, sí desearás captar la atención del público desde el primer momento. Para lograrlo puedes utilizar una historia, una estadística increíble, una referencia a la situación específica de la audiencia (a todos nos gusta oír hablar de nosotros), un comentario controvertido, una imagen impresionante o un chiste particularmente pertinente y divertido. Ten en cuenta tu propia personalidad y tus objetivos, y decide qué forma de empezar te gusta más.

Proporcionar un esquema al público sólo es útil si la exposición va a ser larga o particularmente complicada; tus oyentes interiorizarán la información de forma mucho más eficiente si conocen de antemano la estructura de lo que van a oír.

Una vez hayas captado la atención del público y hayas presentado el esquema de tu discurso, pasa a la acción principal: el segundo acto, el cuerpo del discurso.

La conclusión

El segundo acto termina con el material más persuasivo del discurso: el clímax. Lo único que te queda por hacer es asegurarte de que las personas del público saben qué acción quieres que lleven a cabo como respuesta a lo que han oído. Devuélvelos al mundo armados con nueva información y un plan para el futuro.

Por supuesto, si tu discurso es un brindis, la llamada a la acción puede ser simplemente: «Por favor, levanten las copas…» Los discursos más complejos pueden requerir respuestas más complejas por parte del público, pero la conclusión es el momento de destilar el mensaje y quedarse con la esencia, la estructura más fácil de recordar.

Puede resultar útil revisar los puntos principales del discurso con el fin de hacer que una de las últimas cosas que oiga el público sea una serie sucinta de motivos por los cuales deberían entrar en acción. También puedes lograr una buena conclusión del discurso haciendo referencia a su comienzo. Por ejemplo, podrías decir: «Lo que les sucedió a los Peterson no tiene por qué sucederles a ustedes si instalan una alarma de incendios en cada habitación y comprueban su funcionamiento regularmente».

Como ocurre en el caso de la introducción, lo mejor es no dejar la conclusión al azar. Prepárala a conciencia para poder tener el total control de la impresión final del público. Si no estás preparado, es muy probable que te limites a repetir algún cliché muy poco efectivo, como: «Bbien, en resumen...», o: «Veo que se nos acaba el tiempo», o: «Creo que eso es todo». Piensa largo y tendido cómo quieres indicar que se acerca el final del discurso (y asegúrate de que cuando lo digas sea cierto) y deja que tu última frase sea la más convincente y llena de confianza de toda tu exposición: «Puede salvar la vida de sus hijos por menos de ochenta y cinco dólares al año».

Escribe: «Muchas gracias» en una ficha, colócala al final del montón y ya tienes un discurso.

Escribir con estilo

Cuando llega el momento de elegir las palabras concretas, la cantidad de posibilidades puede detener en seco a un escritor. A eso se le llama «bloqueo del escritor» y provoca el pánico escénico incluso antes de subir al estrado. Sin embargo, una cosa buena de los discursos en comparación con otras formas de escritura es que los oyentes no tendrán demasiadas posibilidades de estudiar las palabras que elijas. Una vez las hayas pronunciado, desaparecerán. Por eso, tropezar con una palabra de vez en cuando no es el terrible problema que la gente se imagina, y eso significa también que durante el proceso de escritura la elección de cada palabra no debe suponerte una agonía. No hace falta ser Shakespeare para escribir un buen discurso.

Sin embargo, y como es lógico, querrás utilizar las palabras del modo más efectivo posible, ya que son la herramienta más útil con que cuentas para influir en la audiencia. Si tienes pensado escribir un discurso, surgirá la cuestión del estilo. ¿Cuán técnico, florido y original quieres ser? Todos los oradores son distintos, al igual que todas las situaciones en las que se pronuncia un discurso, pero puede ser útil conocer una serie de principios generales.

En primer lugar, intenta aproximarte a tu forma de hablar. A la hora de escribir puedes sentirte tentado a utilizar palabras y expresiones altisonantes que jamás dirías en voz alta. Te puedes permitir algunas, ya que deseas que tu discurso sea más efectivo que las conversaciones corrientes, pero no te adentres demasiado en el camino de la alta retórica.

La clave está en la simplicidad: ser claro y directo. Debes variar la longitud de las frases, pero en su mayoría han de ser cortas. Utiliza la menor cantidad de argot técnico posible y asegúrate de que defines cualquier término que pueda resultar extraño al público. Por mucho que conozcas como la palma de tu mano la materia de la que vas a hablar, concéntrate en la novedad que las ideas que expones supondrán para el público; eso te ayudará a mantener siempre un lenguaje fresco.

Si tú mismo escribes el discurso que vas a pronunciar, serás escritor a la vez que actor. ¡Sigue interpretando! Ser un poco teatral es positivo. Anima tu exposición con verbos que tengan fuerza (como «vivificar» y «evitar»). Evita la voz pasiva. (Nunca digas «Chicago fue superado por Nueva York» si puedes decir «Nueva York superó a Chicago».) Ten siempre presente que tu objetivo es persuadir. Dirígete a las emociones de tus oyentes al mismo tiempo que a su intelecto.

• • •

Elementos visuales

Una lámpara de araña que se estrella en el escenario; una extraterrestre que va en bicicleta por encima de un bosque; la Casa Blanca que salta por los aires ante tus mismos ojos... Algunos de los momentos más memorables de las obras de teatro y de las películas pertenecen a la categoría de los efectos especiales.

Una presentación pública, como cualquier acontecimiento teatral, es una experiencia visual a la vez que auditiva. Los elementos de apoyo visual pueden potenciar prácticamente cualquier tipo de discurso. Probablemente no desees hacer estallar nada, pero ya en las primeras etapas de preparación de tu exposición es importante que comiences a pensar si deseas utilizar diapositivas u otros materiales y, en caso afirmativo, cuáles se amoldarían mejor a tu mensaje y a la situación.

Muchos oradores utilizan elementos de apoyo visual por razones equivocadas. De entre ellas, la más frecuente es que parece que es lo que se tiene que hacer. Las diapositivas se han convertido en un elemento prácticamente indispensable para grandes presentaciones de trabajo. ¿Alguien se atreve alguna vez a apagar el proyector?

Nuestra cultura está llena de estímulos visuales y es cierto que el público puede esperar ver algo (aparte de ti) mientras oyen tu exposición. Sin embargo, no recurras a un proyector de diapositivas sólo porque todo el mundo lo haga, ya que puedes terminar con un material extraño o confuso que te estorbe en lugar de ayudarte. En una ocasión, el director de *La guerra de las galaxias*, George Lucas, dijo: «Los efectos especiales son herramientas que te ayudan a contar una historia. Un efecto especial sin una historia detrás resulta bastante aburrido». Es absolutamente posible realizar una presentación brillante confiando tan sólo en la presencia y la voz humanas, y en la mayoría de casos eso puede suponer una novedad muy estimulante.

Sin embargo, claro está que en algunas situaciones existen razones muy poderosas para utilizar ayudas visuales que, si se aplican correctamente, pueden aportar viveza y variedad. Ayudan a mejorar la retentiva, ya que las personas somos más propensas a recordar cosas que hemos visto y oído a la vez. Además, algunas informaciones se expresan con más eficacia de forma visual. Recuerda siempre que tú eres la estrella del espectáculo y que no deseas verte eclipsado por una serie de imágenes proyectadas.

Teniendo eso en cuenta, es lógico que tus materiales visuales sean lo más simples posible. Si bien han de dar sensación de profesionalidad, realizar un video musical sobre el tema sería ir demasiado lejos.

Por otro lado, escribir partes del discurso en diapositivas no es suficiente. Para ser efectivos, los elementos de apoyo visual deben explotar su naturaleza visual. Utiliza imágenes, diagramas y gráficos que aclaren o profundicen tus ideas. Las formas, los colores, los tamaños y las posiciones de los objetos en las imágenes que expongas han de tener siempre un sentido. Si lo más importante en unas diapositivas son las palabras, no serán diapositivas efectivas, de modo que puedes pasar perfectamente sin ellas.

Sí, los elementos de apoyo visual pueden desvirtuar la efectividad del discurso, o incluso arruinarlo. Una de las grandes tareas de los oradores es mantener y dirigir la atención del público, de manera que todos los elementos visuales suponen un riesgo: obligan a la audiencia a repartir su atención entre la imagen y tú. Una ayuda sólo es valiosa si los beneficios de la información de naturaleza visual compensan ese riesgo. Es importante que a medida que trabajes en tu discurso desarrolles elementos visuales que estén *a tu favor* y no *en tu contra*.

El tipo de apoyo visual más común para las presentaciones extensas son las diapositivas, aunque a veces también puede utilizarse una cámara o un ordenador. Sin embargo, se han de tener en cuenta otros muchos elementos: se pueden utilizar paneles, dosieres, modelos, mapas o pizarras blancas, y todas esas opciones tienen sus ventajas en función de la ocasión y de los objetivos. Recuerda sólo que debes buscar siempre la mayor simplicidad posible y utilizar apoyos visuales sólo cuando no basten las palabras.

En lugar de desarrollar el guión y luego añadir los elementos visuales o viceversa, lo recomendable es trabajar en ambos aspectos de forma simultánea. Los cambios en un sentido implicarán cambios en el otro, y deberás asegurarte de que ambos aspectos vayan de la mano.

Si un departamento artístico, un asesor de diseño o cualquier otra persona que no seas tú va a encargarse de las diapositivas, controla el proceso tanto como puedas. Has de saber de antemano con cuánta información contarás en relación con la tónica general de las diapositivas, en qué fecha estarán terminadas para poder ensayar con ellas y qué dificultades plantearía el hecho de introducir modificaciones si fuera necesario.

* * *

Flexibilidad

Por desgracia, lo cierto es que en cualquier tipo de intervención en público las cosas rara vez salen como estaban planeadas. Puede suceder, por ejemplo, que cuando llegue la hora de pronunciar el discurso, los organizadores, que inicialmente te dijeron que dispondrías de cuarenta y cinco minutos, te concedan solamente media hora. O que alguno de los asistentes te interrumpa constantemente aunque les hayas pedido al comenzar que se reserven las preguntas que tengan para el final. ¡La espontaneidad forma parte de la diversión!

En caso de que se produzcan esta u otras circunstancias no previstas, se agradece que la estructura del discurso esté pensada para admitir una cierta flexibilidad. Prepara un poco más de material del que tengas pensado utilizar (un par de ejemplos o historias más y una o dos ideas de reserva) y decide dónde podrías incluirlo si te pidieran que hablaras más rato del que tenías previsto. Asimismo, intenta identificar las partes independientes del discurso que podrías eliminar si te recortaran el tiempo disponible.

Revisión

Alfred Hitchcock tenía algunos buenos consejos para los escritores: «Una obra dramática es como la vida, pero sin las partes aburridas».

En cuanto tengas un buen borrador de tu discurso, apárcalo durante un día o dos y después abórdalo de nuevo armado con unas tijeras metafóricas: ha llegado la hora de cortar y eliminar, unas veces un poco y otras mucho.

Revisa meticulosamente todo cuanto hayas escrito y formúlate las siguientes preguntas:

¿Está el tema lo bastante delimitado como para tratarlo de forma exhaustiva en el tiempo disponible?

¿Tiene el discurso un objetivo claro?

¿Continúo creyendo tanto en el mensaje general como en los detalles?

¿Está el discurso orientado hacia las necesidades del público?

¿Es demasiado largo, demasiado corto o está bien?

¿Tiene un inicio, una parte central y un final claramente definidos?

¿Logra la introducción ganar la atención del público?

¿Hay alguna parte que resulte extraña o repetitiva?

¿Expone el discurso una información verificable y precisa?

¿Hay suficientes momentos amenos?

¿Se puede discernir claramente su estructura?

¿Emplea el discurso una amplia variedad de tácticas para perseguir su objetivo?

¿Refleja adecuadamente mi compromiso personal con el mensaje?

¿Es el lenguaje simple, claro, activo y adecuado al contexto?

¿Consigue el cuerpo del discurso llevar al público al clímax?

¿Se produce una llamada a la acción clara y fuerte?

¿Se trata de un discurso lo bastante flexible?

¿Resulta todo lo persuasivo que podría ser?

Si te planteas todas estas preguntas y las respondes con sinceridad, sabrás qué aspectos del discurso habrás de trabajar. Finge ser un dramaturgo y revisa y corta tu trabajo sin piedad semanas antes de que lleguen los críticos. Saca el diccionario y el bolígrafo rojo y hazlo mejor. Sé duro contigo mismo. (Es mucho mejor que dejar que la audiencia lo sea más tarde.)

Cuando los escritores profesionales hablan de revisar, utilizan una frase con reminiscencias de Medea: «Matar a tus hijos». Lo que quieren decir es que por mucho que te guste una idea o una expresión, si no sirve para el discurso deberá ser eliminada.

No dejes de cortar, añadir y reescribir hasta que tengas el discurso que deseas pronunciar. Una vez estés satisfecho de las respuestas que des a las preguntas de la página anterior, estarás listo para comenzar a ensayar.

4. Primeros ensayos

*Lo hice del mismo modo en que aprendí
a patinar: quedando en ridículo una y otra
vez hasta que me acostumbré a hacerlo.*

GEORGE BERNARD SHAW,
hablando de cómo aprendió a pronunciar discursos

Suelta el bolígrafo

Felicidades, acabas de escribir un discurso. Has tenido una serie de ideas, has investigado, has definido unos objetivos claros, has pulido cada frase y has afilado cada anécdota. Puede que aún no sea como: «Tengo un sueño», pero tiene muchas probabilidades de ser bueno.

¿Y ahora qué? Bueno, aquí tienes lo que *no* hay que hacer: no decidas que ya has realizado el auténtico trabajo y guardes tu discurso en un cajón hasta el día antes de pronunciarlo. Escribirlo es sólo una pequeña parte de tu trabajo como orador.

En este capítulo comenzarás un proceso estructurado de ensayo que te ayudará a sacar el discurso del papel y hacerlo llegar al corazón y la mente de tus oyentes. Asimismo, aprenderás una serie de técnicas para comunicar tu mensaje con entrega y entusiasmo.

Fundamentos del ensayo

Aristóteles dijo una vez: «Somos lo que hacemos de forma repetida; luego la excelencia no es un acto, sino un hábito».

Esta es una lección que continúa vigente entre los actores de los tiempos modernos. Por término medio, un actor dedica cuatro semanas (treinta y seis horas por semana) a ensayar un espectáculo que durará no más de dos horas y un papel que puede no tener más que cincuenta o cien líneas. Eso ocurre porque los actores saben que sólo mediante mucho ensayo conseguirán dominar un papel. Por su parte, los oradores tienden a pensar en el ensayo como «repasarlo todo mentalmente una o dos veces en el avión». Muchos no dicen ni siquiera una vez en voz alta las palabras de su discurso hasta que se encuentran de pie frente a su público. No obstante, pensar en un discurso y practicarlo son cosas totalmente diferentes: el hecho de repasar las palabras mentalmente no te preparará para comunicarlas con todo tu ser. Sólo pronunciando tu discurso repetidamente, es decir, llevando a cabo un proceso de ensayo sólido, llegarás a desarrollar los hábitos de la excelencia.

Pero, ¿qué es exactamente ensayar? Las personas que no están familiarizadas con el arte del teatro suelen pensar que consiste en aprenderse al dedillo las líneas del texto. Sin embargo, memorizar es sólo una pequeña parte de lo que hacen los actores y algo que se espera que consigan a su debido tiempo. Lo que ocurre realmente al ensayar resulta mucho más interesante. Como te dirá cualquier actor profesional, el auténtico ensayo se basa en la exploración y el descubrimiento.

Para los oradores, al igual que para los actores, un buen ensayo significa explorar las posibilidades dramáticas de un texto: no sólo lo que uno dice, sino también por qué lo dice y cómo utiliza su cuerpo y su voz para influir con fuerza en los oyentes. También supone descubrir nuevos significados en sus palabras y entusiasmarse por su mensaje.

Un buen proceso de ensayo es como «domar» unos vaqueros nuevos. Se estira el tejido de todas las formas posibles de modo que cuando uno los ha de llevar en público le resultan tan cómodos como una segunda piel.

Darle a la lengua

Existen muchos modos diferentes de ensayar un discurso, unos formales y otros muy informales. Algunas sesiones de ensayo implican realizar una actuación ante tus colegas o supervisores, mientras que otras no requieren más que unos pocos minutos de visualización creativa o el oído voluntarioso de un amigo.

Incluso puedes ensayar ante otras personas sin que éstas se percaten de que lo estás haciendo. La próxima vez que salgas con los amigos busca la oportunidad de hablar sobre tu tema. No cuentes a nadie que estás practicando tu discurso; limítate a crear una conversación animada. Intenta hacer que tus amigos se interesen por el tema del que estás hablando y convénceles de tu punto de vista. Ve tomando nota mentalmente de qué puntos de tu discurso parecen más persuasivos y cuáles has de elaborar más. Cuanto más practiques para incorporar a tu conversación cotidiana tus pensamientos y sentimientos respecto a ese tema, más natural te sentirás cuando subas al estrado. Así pues, aprovecha todas las oportunidades que se te presenten para decir en voz alta tu discurso cuando estés en grupo o incluso cuando estés solo.

Ahora bien, si eres como la mayoría de las personas, es probable que te sientas idiota hablando solo, con la pared de la sala o con el perro que está echando una siesta en el sofá. Y lo cierto es que si es eso lo que haces cuando ensayas solo, no es extraño que te sientas idiota, ya que tu discurso no va dirigido ni a ti, ni al perro ni, por supuesto, a la pared (aunque tenga orejas).

Puesto que la preocupación principal del orador es influir en su audiencia, cualquier escenario efectivo para ensayar tendrá que permitir la interacción con los oyentes, sean éstos reales o imaginarios. Ser demasiado consciente de uno mismo se interpone en el camino de la auténtica interacción. En esta fase tu mente está llena del trabajo que ya has realizado, de los pensamientos que has ido teniendo y de los errores que has cometido. Pero para ser un orador eficaz tendrás que salir por completo de tu cabeza, y el mejor modo de conseguirlo es que te metas en la de otra persona.

En otras palabras, has de conseguir que el público constituya una parte fundamental de cada ensayo, tanto si estás acompañado por otras personas como si no lo estás.

• • •

Derribar la pared

Como ya hemos dicho anteriormente, existe una diferencia esencial entre el público que va a escuchar un discurso y el que va a ver una obra de teatro. En el marco de la oratoria, la audiencia es una participante activa en la escena y no un mero grupo de espectadores.

En una obra de teatro, a menudo es preferible que los actores levanten una «cuarta pared», una barrera imaginaria entre el público y el escenario que les permita concentrarse para interaccionar entre ellos en lugar de enviar su energía directamente al público. La cuarta pared concede al público la ilusión de creer que están mirando a hurtadillas algo privado, y ese es, después de todo, uno de los mayores atractivos de ir al teatro.

Sin embargo, al hacer un discurso no puede haber ninguna pared entre tus oyentes y tú, ya que ni siquiera son realmente un público, al menos no en el sentido pasivo tradicional de la palabra; por el contrario, se trata de protagonistas. En lugar de interpretar un monólogo para ellos, lo que tienes que hacer es establecer un diálogo con ellos. Estás ahí para hacer las preguntas que ellos no se formulan, para resolver algunos de sus problemas y para utilizar todas las tácticas que tengas a tu disposición para hacerles reaccionar del modo en que tú quieres. En general, se trata de una relación muy interactiva.

Muchos oradores mantienen esa cuarta pared firmemente en su lugar porque se sienten más seguros. El problema es que si al hablar en público te proteges dentro de una burbuja, sobrevivirás a la experiencia, pero no con éxito. Aislarte de tu audiencia es lo mismo que si te aislaras del poder potencial de tu exposición.

Eso sucede porque ser un gran orador tiene tanto que ver con reaccionar como con actuar. Cuando hablas no lo haces para oír tu propia voz, sino para obtener una respuesta de tus oyentes, de modo que has de prestar atención y preocuparte por la respuesta que estás obteniendo de ellos. Las acciones que lleves a cabo podrán considerarse exitosas sólo si influyen en tus oyentes del modo en que tenías intención de que sucediera. De lo contrario, habrás de estar dispuesto a cambiar esas acciones para conseguir los objetivos que persigas con tu discurso.

Los malentendidos

Imagina esta situación: Trabajas para una empresa de juguetes que está a punto de aplicar una serie de nuevas prácticas radicales en la manufactura de sus productos y te han pedido que informes de los cambios a un grupo de subordinados. Tu objetivo es hacer que se sientan ilusionados por las innovaciones que se van a introducir y que no sólo harán que los juguetes sean mejores y más seguros, sino que también harán más fácil la vida de los empleados que los produzcan y disparará las ventas de la empresa. En primer lugar, debes decidir cuáles serán las acciones apropiadas que te ayudarán a conseguir ese objetivo: empezarás con una historia humorística sobre la época en que la vieja maquinaria fallaba y todos los Mr. Potato se encogían a la medida de un cacahuete, pasarás a una explicación exhaustiva de lo rápidas y fáciles de utilizar que serán las nuevas máquinas y acabarás mostrando un diagrama de barras en el que se aprecien los beneficios previstos para el año siguiente.

Parece un buen plan, al menos sobre el papel. El único problema es que cuando te diriges a tus empleados no has tenido ni dos minutos para preparar lo que les vas a decir y empiezas a darte cuenta de que pasa algo raro, porque cuando creías que reirían, ellos se hunden en la silla, y cuando creías que asentirían con entusiasmo, ellos te miran con ojos velados. No están tomando notas, de modo que, ¿cómo se acordarán después de algo de lo que has dicho? Cuando acabas de hablar, das paso a la ronda de preguntas y lo que sigue es un silencio glacial.

Bueno, ahora las buenas noticias. Al menos prestas la suficiente atención a tu público como para darte cuenta de que tu mensaje no ha sido bien recibido. También tienes una idea lo bastante clara de lo que esperabas de ellos (risas, asentimientos entusiasmados, toma de notas, preguntas) para saber que no lo estás obteniendo. Así pues, sólo con que hubieras sido un poco flexible, habrías podido salvar el barco antes de que se hundiera.

Ese mismo día, algo más tarde, hablas en privado con algunas de las personas que han asistido a la reunión. Parece ser que tus oyentes creían erróneamente que las innovaciones que les describías harían que su trabajo quedara obsoleto. Así pues, cuando mencionaste el incidente de los Mr. Potato, ellos se sintieron criticados por errores pasados; cuando te esmerabas por presentar las nuevas tecnologías lo mejor posible, ellos ya se estaban imaginando las notificaciones de despido, y cuando sacaste con orgullo aquel diagrama de barras, se les encogió el corazón al pensar que todos esos beneficios irían a parar a unos bolsillos que no serían los suyos.

Por supuesto, tú no tenías ninguna manera de saber todo eso en su momento, ¿o acaso sí? ¿Y si nada más notar que la gente se hundía en la silla y fruncía el ceño hubieras dejado a un lado el texto y hubieras iniciado una ronda de preguntas? ¿Y si hubieras salido de detrás del atril y hubieras manifestado tu sorpresa por su extraña reacción ante tan buenas noticias? Probablemente habrías descubierto el malentendido en cuestión de segundos y lo habrías aclarado mediante otra acción: la de tranquilizarles. Ese pequeño reajuste podría haber ahorrado a todo el mundo mucho sufrimiento y es probable que tu exposición hubiera sido todo un éxito. Bueno, mejor suerte para la próxima vez.

Lo importante es que siempre debes reaccionar a lo que recibas de tus oyentes. Si tus acciones te ayudan a conseguir tus objetivos, fantástico, sigue con ellas. Si no es así, deberás estar dispuesto a ajustarlas para obtener la respuesta que necesitas.

Llegado este punto, puede que pienses que te resultará fácil ver si todo funciona cuando estés pronunciando tu discurso. Después de todo, tendrás enfrente un público de verdad al que exponer tus ideas para que opine. ¿Pero qué ocurre cuando estás solo en la sala de estar de tu casa? ¿Cómo puedes ensayar la interacción si no hay nadie con quien hacerlo?

Pues bien, como todo buen actor, tendrás que practicar el arte del ilusionismo.

Imaginar al público

A partir de ahora, el primer paso de cada ensayo será crear oyentes imaginarios a los que dirigir el discurso. Imagina qué aspecto tienen, qué están haciendo, cuánto interés prestan. Por supuesto eso lleva un poco de tiempo, pero no resulta difícil y, de todos los trucos para ensayar que podemos ofrecerte, es el mejor.

En primer lugar, habrás de decidir el lugar que ocupa tu público en la habitación. Lo mejor es imitar las condiciones de la exposición real lo más exactamente posible. ¿Están sentados cerca o lejos de ti? (Utiliza la imaginación y convierte tu despacho en un gran auditorio si es necesario.) ¿Están apelotonados o diseminados? Si el grupo es pequeño, imagina que puedes conectar con cada oyente de forma individual y siente cómo responde. Si se trata de un grupo grande, imagina que realizas un contacto visual significativo con diversas personas de diferentes partes de la sala. Finge que tienes enfrente personas reales y acostúmbrate a la sensación que se tiene en esa situación.

Una vez hayas visualizado el aspecto de las personas que te escuchan, comienza a pronunciar tu discurso imaginando activamente cómo reciben todo cuanto les dices. ¿Hay algo que no sea compatible con ellos? ¿Alguno de ellos asiente de forma alentadora? ¿Cómo te afectan esas reacciones? En este punto, la idea es que des rienda suelta a tu imaginación, tanto para practicar con diferentes tipos de interacción con el público como para ver qué comportamientos comunicativos diferentes puedes encontrar en ti mismo.

Lo más importante que has de recordar al crear a tu público imaginario es que éste debe ser activo. Si sólo vas a imaginar un puñado de maniquíes sentados sin hacer nada, tal vez será mejor que hables con el perro. Aunque a menudo los oyentes parecen maniquíes que estén sentados sin hacer nada, lo cierto es que son capaces de responderte mediante el lenguaje corporal, sonidos (risas, ohs y ahs, gruñidos) o a veces preguntas; de hecho, deberías tratar de provocar reacciones favorables incluso cuando el público es imaginario.

Si crees que tu comunicación no es tan intensa como debiera, cambia un poco las cosas. Intenta sustituir al público por otro grupo de oyentes, como tu familia, miembros de una asociación a la que pertenezcas, tu grupo de excursionismo o quien sea. Mantén las palabras de tu discurso y ve qué sientes al pronunciarlas ante una audiencia completamente diferente. Si no te emociona demasiado la idea de explicar a doscientos cargos intermedios los cambios que se llevarán a cabo en la política de baja por maternidad, imagina que estás hablando ante un grupo de madres trabajadoras que están en primera línea y llevan años luchando por ese cambio, o ante un público de altos cargos que temen un descenso de la productividad y a los que has de convencer de las ventajas del cambio de política. Sea cual sea la opción que elijas, asegúrate de que tienes una razón clara para dirigirte al público que estás imaginando. Define tus objetivos antes de comenzar para saber si los vas alcanzando a medida que avance el discurso. Experimenta con muchos guiones y anota en cuáles de ellos logras conectar mejor con tu mensaje y con la audiencia.

A Bill Clinton le aconsejaron que dirigiera sus discursos a la persona del público que se mostrara más en desacuerdo con él. Puesto que no sabía de qué persona se trataba, tenía que hacer un ejercicio de imaginación que le funcionaba muy bien (y mucha gente estará de acuerdo con esto). Puede que descubras que a ti también te gusta hablar directamente con tus adversarios. O quizás, al experimentar con diferentes guiones, descubras que lo que te conviene es justamente todo lo contrario, es decir que te comunicas mejor con las personas que están de tu lado. O puede que el discurso te salga mejor cuando ves a tus padres entre el público, o cuando imaginas que solamente te escucha una persona. El poder de la imaginación puede hacer grandes maravillas para ayudarte a conectar con tu público y a descubrir tus habilidades ocultas.

Una vez hayas encontrado la mejor forma de sacarle el máximo rendimiento a los ensayos, podrás transferir esos descubrimientos a la interpretación real. Como sabe todo actor, el público no puede leerle la mente. Así pues, permítete pensar cualquier cosa que fortalezca la comunicación, tanto en los ensayos como tras el atril.

El ejercicio de empezar y parar

Por muy diligente que hayas sido a la hora de reservarte tiempo para ensayar, imaginar a tu público y definir tus objetivos, eso no significa que conectar con una multitud de personas invisibles te vaya a resultar fácil. La mayoría de la gente empieza con la mejor intención, pero cuando llevan dos minutos de discurso se olvidan de todo lo referente a sus oyentes imaginarios y comienzan a leer monótonamente el texto. Así pues, aquí tienes un ejercicio que te servirá para pronunciar tu discurso con honestidad en todo momento. También te resultará de gran ayuda para no centrarte únicamente en la página, incluso en el caso de que no estés muy familiarizado con las palabras del texto.

El ejercicio de empezar y parar es básicamente una prueba preliminar del discurso, y se trata de incluir pausas tras cada cosa que digas. El objetivo de este ejercicio es que te comprometas por completo con el público tras cada pensamiento que transmitas para asegurarte de que recibe tu mensaje tal como deseas. Lo que has de hacer para conseguirlo es lo siguiente: mientras estés pronunciando tu discurso, mantén contacto visual con tus oyentes imaginarios durante un período largo (quizás incómodo) al final de cada oración que pronuncies o cada pensamiento que expreses. No puedes volver a hablar hasta que, a partir de la reacción de tus oyentes, notes que saben exactamente *por qué* motivo deben escuchar tu próxima frase. Sólo cuando tengas una razón clara y convincente para comunicar tu siguiente idea podrás proseguir con su discurso.

Como probablemente habrá notados, en este ejercicio los silencios son tan importantes como las palabras. Puesto que muchos oradores se sienten incómodos ante el silencio, ensayar tu discurso de este modo te parecerá poco natural al principio, pero la recompensa merece la pena. En palabras del gran actor del siglo XIX Henry Irving: «Es necesario que el actor aprenda a pensar antes de hablar». El ejercicio de empezar y parar te dará tiempo para hacerlo.

Por supuesto, cuando ensayes en solitario tendrás que imaginar las reacciones de la gente. Probablemente cuanto más activa sea tu imaginación, más te irás animando. Lo creas o no, visualizar un público que simpatice demasiado con la causa que estés exponiendo, en ocasiones puede disminuir el valor de tu ensayo, ya que te deja sin nada por lo que luchar. Por lo tanto, lo que más ayuda es la variedad. Simula condiciones en las que a veces tus oyentes estén claramente a tu favor y otras en las que no; así podrás practicar para ajustar tu mensaje y hacerlo más persuasivo.

Este es un gran ejercicio para realizar tanto con un público falso formado por amigos o colegas como en solitario. Dado que te hará salir de tu mente e introducirte en la de ellos, se trata de un buen recordatorio de que estás hablando no en tu propio beneficio, sino en el de tus oyentes. No importa lo elocuente que creas ser: si tu público no lo percibe así, entonces no servirá de nada lo que les digas. El ejercicio de empezar y parar también mejorará tu capacidad de establecer contacto visual de forma significativa. En lugar de limitarte a examinar la sala con los ojos, como hacen tantos oradores inexpertos, te acostumbrarás a utilizar el contacto visual para valorar la comprensión de tus oyentes y fomentar tu conexión con ellos.

Nota: Si realizas el ejercicio de empezar y parar correctamente, un discurso de cinco minutos puede durarte veinte. Por supuesto, te parecerá demasiado lento, pero se trata precisamente de eso, lo que nos lleva a un aspecto importante acerca de la diferencia que existe entre ensayar y actuar: el ensayo tiene que ver con el proceso y la experimentación, mientras que la actuación está relacionada con el producto y la presentación. Como con los vaqueros nuevos, deberías utilizar el ensayo para aumentar tu flexibilidad y la del tema del que hables, de modo que cuando finalmente te presentes ante un público real sepas tu discurso del derecho y del revés y puedas pronunciarlo con naturalidad y comodidad. Muchos de los ejercicios que aparecen en este libro, incluido el de empezar y parar, se centran en un aspecto determinado del proceso y no en el producto acabado. Así pues, no te preocupes si en un primer momento te parecen poco equilibrados. Más adelante introduciremos multitud de ejercicios diseñados para ayudarte a unirlo todo.

Creer en el discurso

Como Olivier dijo una vez a un crítico: «Un actor se persuade primero a sí mismo, y luego persuade a su público».

Desde las primeras fases de ensayo, los actores se entregan a la tarea de persuadirse. Mediante la visualización creativa y la exploración del guión, aprenden a combinar los acontecimientos de la vida del personaje con sus propias experiencias, de modo que se convencen de la veracidad de la ficción del dramaturgo.

La verdad es que los primeros ensayos de tu discurso no diferirán de eso: si quieres que tu público crea en lo que le estás diciendo, tendrás que aprender a creer en ello tú mismo, de todo corazón. Eso no te resultará difícil si eliges el tema del discurso y escribes todas las palabras, pero a menudo el trabajo de orador, como el de actor, consiste en hacer propias las palabras o ideas de otra persona. Así pues, ¿cómo se consigue eso?

Julie Harris, famosa en todo el mundo por su interpretación de Emily Dickinson en *The Belle of Amherst*, leyó sobre ella y la estudió durante dieciséis años antes de encarnar su personaje sobre un escenario. Incluso visitó su casa: «Paseé por todas las habitaciones… Caminé por donde ella caminaba».

De acuerdo, puede que tú no dispongas de tanto tiempo ni de tanto presupuesto, pero el principio continúa siendo válido: has de encontrar un modo de conectar de forma personal con el tema del que vas a hablar, ya sea mediante una investigación o mediante tu imaginación. Incluso si escribes el discurso tú mismo habrás de encontrar la manera de reconectar con la fuerza de los acontecimientos que describes, como si estuvieras recordando esas historias o explicándolas por primera vez, porque lo cierto es que para tu audiencia sí será la primera vez.

Tanto si hablas del día en que te caíste de un árbol a la edad de ocho años como de cuando Marco Antonio cayó sobre su espada, explicar una historia no tendrá sentido a menos que expreses una conexión íntima con ella. Una manera de crear ese tipo de conexión es invertir algún tiempo en desarrollar cuidadosamente un retrato mental vivo de los acontecimientos que estás describiendo, igual que un actor utilizaría la imaginación para colocarse en el mundo de la obra. Cierra los ojos e intenta experimentar las imágenes, los sonidos, incluso los olores, asociados con tu historia. ¿Qué aspecto tenía aquella rodilla magullada cuando te caíste del árbol? ¿De qué color era el cardenal? ¿Se rieron mucho de ti? ¿Qué sentiste? ¿Qué crees que sintieron los demás personajes de la historia?

Cuanto más específica sea la visualización que realices, más detalladas serán tus observaciones para la audiencia. Empleando las herramientas que utilizan los actores, como la memoria sensorial y el recuerdo emocional, podrás crear una experiencia que elevará al público de su asiento, metafóricamente hablando, y le llevará al mundo de tu historia.

Desarrollar un interés

No obstante, ¿qué ocurre si no estás demasiado interesado en las historias que estás explicando, o incluso en el tema de que trata tu discurso? Aun a riesgo de caer en la obviedad, ¡interésate! Si notas que te aburres, aunque sólo sea un momento, puedes apostar a que el público también se aburrirá. Existen muchas maneras de interesarse en lo que uno está diciendo, desde informarse mejor sobre los hechos relacionados con el tema hasta considerar la relación que tiene con la vida de la gente real, pasando por leer opiniones al respecto que difieran de la tuya. Has de elegir un modo de enfocarlo, de modo que escojas una perspectiva que conquiste tu imaginación.

Digamos que has pronunciado el siguiente párrafo: «En 1989, en cada hogar estadounidense había una media de dos espátulas, dieciocho tenedores, catorce cucharas y veintidós cuchillos; en 1999 la media era de una espátula, dieciocho tenedores, dieciocho cucharas y veintidós cuchillos».

Puede que te cueste entusiasmarte hablando de la media nacional de utensilios de cocina. Seguramente ya habrás decidido el motivo por el que eso figura en tu discurso y por el que la audiencia puede necesitar oírlo, pero aun así resulta aburrido y soso. No obstante, si ese es el discurso que se te ha encargado hacer, mejor será que encuentres la manera de entusiasmarte por ello.

Una posibilidad consiste en preguntarte a ti mismo qué tipo de personas pueden estar interesadas en esas estadísticas y entonces ponerte en su piel. De hecho, este acercamiento, denominado «si mágico» por Stanislavsky, es uno de los fundamentos esenciales de la interpretación por método. Para ayudarse a creer en la realidad de la experiencia del personaje, el actor se pregunta: «¿Qué haría yo *si* realmente me encontrara en esa situación?». Al hacerlo, no sólo personaliza la experiencia, sino que también abre un mundo de posibilidades imaginativas por explorar. De forma similar, tú puedes preguntarte: «¿Qué haría yo *si* el número de utensilios de cocina por hogar me importara realmente?»

Imaginemos por un momento que te ganas la vida haciendo creps. Desde ese punto de vista, esas estadísticas parecen muchísimo más importantes. Puedes preguntarte, por ejemplo, si el descenso del número de espátulas es indicativo de una tendencia mayor a no tomar desayunos caseros. Después de eso, puedes considerar si el descenso de espátulas por hogar está de algún modo relacionado con el incremento de cucharas. (¿Consumimos más cereales fríos y café a la carrera a expensas de un desayuno completo?) Si fueras economista, quizás estarías interesado en la correlación entre la renta per cápita y el número total de utensilios de cocina por hogar; un especialista medioambiental se preguntaría qué ocurrió con las espátulas que se desecharon entre 1989 y 1999. Suponemos que vas captando la idea. Utilizar el «si mágico» para acceder al mundo de una persona que tiene motivos para interesarse por el tema hará que tú también te intereses un poco más por él.

Si no te apetece adentrarte en el camino del juego de rol, puedes aumentar tu nivel de interés sencillamente preguntándote: «¿Qué tiene que ver todo esto conmigo?» Los utensilios de cocina que tienes en casa, ¿se corresponden con la media nacional o destacan por exceso o por defecto? ¿Cuál crees que es la causa de eso? ¿Cuál es tu utensilio de cocina favorito y por qué? Un contexto personal te ayudará en gran medida a vender tu mensaje al público.

Ahora pregúntate si hay algún aspecto de las estadísticas de utensilios de cocina por hogar que te resulte significativo. Si la respuesta es afirmativa, entonces probablemente puedas encontrar un modo de interesarte por cualquier cosa.

Comunicar con entusiasmo

En una obra de teatro, el público sigue el ejemplo del actor. Si está nervioso, ellos se pondrán nerviosos, y si demuestra indiferencia, ellos lo harán también. En un discurso ocurre lo mismo. Ahora que has dedicado algo de tiempo a desarrollar una conexión personal con el tema del que hablarás, has de emplear los ensayos para practicar cómo infundir en tus oyentes la pasión que sientes.

Según Meryl Streep: «Todo cuanto tiene un actor es su corazón, de verdad. Ahí es donde se va en busca de la inspiración». Por extraño que parezca, muchos oradores se desvían del camino para esquivar el corazón, para evitar toda expresividad emocional. Tienen tanto miedo de sobreactuar que prefieren no actuar en absoluto, o temen que el hecho de introducir sentimientos personales en su exposición socave su condición de «experto». Sin embargo, lo que ocurre es todo lo contrario: cuanto más valor tenga el material para ti, más tendrá también para la audiencia. El orador aumenta su condición de experto, así como su capacidad para conmover a sus oyentes, cuando las palabras que pronuncia salen de su corazón y comparte su entusiasmo por el tema (porque sólo alguien que realmente sabe de qué habla se preocuparía tanto por ello). Así pues, ahora que el tema te entusiasma, ha llegado el momento de compartir ese entusiasmo con tu audiencia.

Hay personas que son comunicadoras entusiastas por naturaleza: pueden hacer que incluso el más mundano de los acontecimientos parezca una película de acción; pero ese no es el caso de la mayoría. Si eres capaz de hacer que la última película de Arnold Schwarzenegger suene a documental sobre el hábito de remover la tierra que tienen los ratones de campo, no te preocupes. Como casi todos los demás aspectos de la oratoria, el hábito de la comunicación entusiasta se puede aprender.

A continuación te indicamos algunas cosas que puedes probar al ensayar.

ABORDA CADA DISCURSO COMO UN DISCURSO DE MOTIVACIÓN

Toma cualquier pasaje del discurso que has escrito: el más tonto o el mejor, da igual. Ahora, en lugar de imaginarte hablando con las personas a quienes realmente va dirigido el discurso, piensa que eres el entrenador de un equipo universitario de baloncesto que se dirige a su equipo momentos antes de comenzar un partido del campeonato. Utiliza las palabras reales de tu discurso pero imagina que tu intención es enardecer a un impaciente y ansioso grupo de jóvenes jugadores. En lugar de limitarte a informarles, has de hacer lo que todo buen entrenador y llevarlos al frenesí. Si los deportes no son lo tuyo, puedes imaginar que eres un predicador que anima a su congregación, un político que pronuncia un ferviente discurso electoral o incluso Juana de Arco liderando las tropas en una batalla: cualquier situación que implique hablar desde el fondo de tu corazón al fondo de otros corazones.

Cuando ya hayas acabado, tómate un momento para considerar qué efecto ha tenido esa visualización en tu modo de expresarte. ¿Has estado más activo físicamente que de costumbre? ¿Has enfatizado unas palabras diferentes de las que habrías resaltado en otro momento? ¿Estabas más al tanto de la reacción de tu público imaginario que de costumbre? Cualquier cambio que hayas notado probablemente tenga que ver con el hecho de que te estabas comunicando de un modo más entusiasta de lo que estás acostumbrado. Incluso puede ser que sientas que te has pasado de la raya. Sin embargo, es importante que tengas en cuenta que, puesto que has tardado años en desarrollar tus hábitos comunicativos actuales, prácticamente cualquier cambio en tu modo de hacer las cosas te parecerá ir demasiado lejos, de manera que es probable que no sea tan desproporcionado como crees.

Ahora pregúntate lo siguiente: «¿Cuál de estos nuevos hábitos de comunicación entusiasta creo que podría incorporar satisfactoriamente a mi discurso actual?». A partir de ahora, siempre que sientas que lo que estás diciendo te aburre, invoca la situación del entrenador y deja que salten chispas.

INVOLUCRARSE FÍSICAMENTE

Esto es sencillo y siempre funciona: Antes de empezar tu discurso, haz treinta saltos, contándolos de uno en uno en voz alta. En cuanto llegues a treinta, entra en la sala y comienza tu discurso. No te pares ni a tomar aire. Puede que mientras hables sudes o respires pesadamente, pero no pasa nada. El objetivo es conseguir que tu cuerpo entre en estado de excitación y entonces empezar a pronunciar el discurso. Cuando el corazón está desbocado y el nivel de energía física es alto, la energía vocal no puede evitar seguir su ritmo. Incluso cuando tus ritmos cardíaco y respiratorio se normalicen, probablemente te percates de que tu discurso mantiene un tono perentorio nada habitual en ti. Intenta conservar esa sensación de implicación física elevada todo el tiempo, hasta que acabes el discurso.

Lo mejor de un ejercicio como este es que funciona con los principios de la memoria cinética. Con la práctica suficiente, tu cuerpo empezará a recordar qué se siente al estar comprometido físicamente mientras se habla, y cada vez que comiences un discurso regresarás automáticamente al nivel de energía elevado que lograste con los saltos.

DI: «LUIS»

Este es otro de los circuitos psicofísicos que pueden beneficiar enormemente a los oradores. Cuando pronuncies tu discurso, sonríe: una sonrisa feliz, como si acabaras de recibir buenas noticias, con los ojos brillantes y todo. Si la mantienes durante unos pocos segundos, probablemente notes que empieza a formarse una respuesta emocional cálida y sugerente. Los años de sonrisas en respuesta a estímulos positivos crean un canal entre la acción física de sonreír y los sentimientos relacionados con las ocasiones en las que merece la pena sonreír. Ver sonreír a otras personas también puede provocar esa reacción. ¿De qué sirve esto a los oradores? Ojos brillantes, expresión abierta, boca sonriente… son aspectos que asociamos con el comunicador entusiasta. Se trata de los signos externos que nos invitan a compartir la experiencia positiva del orador. Desgraciadamente, como consecuencia de los nervios, el deseo de parecer profesional o simplemente un hábito inconsciente, muchos oradores van frunciendo el entrecejo a medida que se acercan al atril, cosa que excluye a la audiencia sin que ellos lo sepan. Para contrarrestar esa tendencia, dedica un momento del ensayo a pronunciar el comienzo de tu discurso con una gran sonrisa en la cara. Puede que te sientas tonto, pero no pasa nada, incluso puede ser que eso te haga sonreír más. Cuanto más bobo, mejor. Date cuenta de qué cosas aporta a tu discurso el hecho de empezarlo con una sonrisa. Después interioriza esa sonrisa para sentirla, pero no la manifiestes de un modo natural, y prosigue tu discurso. Utiliza los ojos también para sonreír a tus oyentes imaginarios. Se trata de un excelente modo de conseguir una conexión cálida y auténtica con la audiencia. Aunque estés pronunciando un discurso serio, querrás encontrar momentos para compartir una sonrisa, tanto interna como externa, una que indique a tus oyentes que estás con ellos.

5. Explotar el texto

Las obras que han conmovido, emocionado y sorprendido
a generaciones sucesivas dejarán frío e incluso hostil al
público si no encuentran los intérpretes adecuados.

Sarah Bernhardt

El orador como intérprete

Ahora que has desarrollado unas bases sólidas de ensayo, ya puedes dirigir tu atención más específicamente hacia las palabras que habrás de decir. Tanto si trabajas a partir de un guión completamente preparado como si lo haces a partir de fichas, tu tarea consistirá en «interpretar» tu mensaje ante la audiencia haciendo que las palabras cobren vida con claridad y energía.

Los discursos, como las obras de teatro, no están escritos para ser leídos, sino para ser interpretados; es la interacción viva de los cuerpos lo que les confiere su poder. Nadie quiere escuchar a un orador que parezca limitarse a «leer el texto», del mismo modo que nadie quiere escuchar a un actor que parezca limitarse a «leer el guión». El público espera más que eso; pero, ¿qué es exactamente lo que quiere?

Quiere ver a un ser humano que crea en lo que dice, que dé fe de la verdad y la importancia de sus palabras y que se preocupe lo bastante como para provocar una reacción. Quiere oír a alguien que *utilice* las palabras, no que se limite a recitarlas. Quiere saber por qué pronuncias esas palabras, qué significan para ti y qué deberían significar para ellos.

El discurso que has escrito es sencillamente un borrador del discurso que vas a pronunciar. Las palabras en sí mismas no alcanzarán los objetivos que te has marcado; eso sólo puedes conseguirlo tú.

La página y el estrado

El papel del orador es radicalmente diferente al del escritor, en parte porque el público de ambos requiere cosas diferentes por parte del artista. Cuando leemos, elaboramos las cosas nosotros mismos. Cuando nos acurrucamos con una novela hacemos todo el trabajo de imaginar cómo las palabras se unen para formar oraciones, las oraciones para formar párrafos, y los párrafos para formar personajes, lugares, suspense... Organizamos el significado, y de las palabras de la página surge directamente una compleja experiencia.

Sin embargo, tu público no leerá el discurso, sino que lo escuchará, y escuchar es una experiencia completamente diferente. Cuando escuchamos (a un orador, un actor o un conversador) extraemos gran parte de la información no de las palabras, sino de cómo se dicen. Como la mayoría de nosotros podemos atestiguar, un discurso, una obra de teatro o una conversación pronunciados de forma monótona pueden transmitir menos significado del que podríamos haber extraído leyendo exactamente las mismas palabras por nuestra cuenta.

Cuando escuchamos a alguien, esperamos que su compromiso con las palabras que ha elegido (que se pone de manifiesto en la manera de pronunciarlas) haga la mayor parte del trabajo de interpretación por nosotros. No se trata de que nos convirtamos en destinatarios estúpidos, para nada, pero sí esperamos que el orador nos informe del valor que tiene lo que está diciendo. Por ejemplo:

Cuando leemos, vemos dónde comienzan y acaban los párrafos, y eso ayuda. Cuando escuchamos, necesitamos que el orador nos haga saber de algún modo dónde se encuentran esas divisiones de párrafo.

Cuando leemos «10 por ciento» buscamos elementos del texto que nos ayuden a comprender si esa cifra significa mucho o poco. Cuando oímos «10 por ciento» esperamos encontrar esas pistas al menos en el tono de voz.

Cuando leemos, vemos cómo está relacionada una frase con la anterior y la posterior. Cuando escuchamos, el énfasis que el orador imprima a cada frase debe marcar con claridad esas conexiones lógicas.

Saber lo que se quiere decir

Por supuesto, para ser capaz de hacer todo eso, el orador ha de comprender el texto profundamente. Incluso si has escrito el discurso tú mismo, necesitarás analizarlo más a fondo. ¿Sabes por qué esa palabra en concreto está en ese preciso lugar? ¿Entiendes perfectamente el significado de todas y cada una de las estadísticas?

La mayoría de las personas serán conscientes, unas vagamente y otras de forma más aguda, de la existencia de zonas problemáticas en el texto del discurso: lugares que carecen de una lógica sólida, afirmaciones que no creen de corazón, anécdotas que en realidad no tienen que ver con nada. Si no estás del todo seguro acerca de por qué una parte del discurso está ahí, tienes tres opciones:

1. Descubrirlo. Si ha sido otra persona quien te ha escrito el discurso, ve a hablar con ella y hazle preguntas hasta que comprendas a la perfección todos los aspectos del texto.

2. Decidir tú mismo. Independientemente de cuál haya sido tu implicación anteriormente, ahora eres el principal creador en tanto que persona que ha de dar la charla. Eres quien va a estar en primera línea, de modo que todas las decisiones importantes dependen de ti. Imagina un motivo para contar esa historia, o para llevar ese punto a tu terreno. Tener una razón en la que apoyarse es infinitamente mejor que no tener ninguna. Recuerda que las palabras no hablarán por sí mismas. Si decides limitarte a esperar que ocurra lo mejor, espera lo peor.

3. Cambiarlo. Si no estás seguro del motivo por el que algo figura en el discurso, no puedes descubrirlo y no se te ocurre ninguna buena razón que

lo explique, sustitúyelo por algo mejor o simplemente elimínalo.

Ten en cuenta que esta última opción es la favorita de todo el mundo. Para no dejar al descubierto una debilidad del texto, la mayoría de oradores volverán a recomenzar buscando desesperadamente un modo de encontrar las palabras adecuadas. Eso está bien, pero sólo hasta cierto punto. Ya sabemos que quieres escoger bien las palabras, pero en algún momento tienes que parar.

¡Manos arriba!

Cuando se está preparando un nuevo espectáculo, llega el momento en que el director lo «congela»: a partir de entonces no habrá más cambios en el guión, ni en la escenografía, ni en el vestuario ni en ninguna otra cosa. Esa medida resulta necesaria porque en un punto determinado del proceso todo el mundo necesita tiempo para adaptarse a una versión definitiva y desarrollar cierto grado de confianza en lo que están haciendo. Los actores anhelan ese momento. De hecho, Ethel Merman es famosa por haber dicho tras recibir una de tantas nuevas versiones de última hora: «A partir de este momento soy la señorita Birdseye, muchachos. Este espectáculo ya no se toca más».

Ese mismo principio es válido en el caso de los discursos. Date otra oportunidad para examinar el guión y arreglarlo. Hazlo ahora e imagina que es la última ocasión que vas a tener de hacerlo. Entonces dite a ti mismo que el guión está congelado y convéncete de que tu interpretación oral dará sentido a las palabras que están escritas en la página. Hazte a la idea de que esas palabras son correctas y no te disculpes por ellas, ni siquiera ante ti mismo.

Conectar con las palabras mediante el análisis del guión

Ahora que el texto del discurso tiene su forma final, puedes concentrarte en utilizar tu exposición oral para sacar a la luz toda la sutileza y la fuerza del texto. A continuación presentamos algunas técnicas teatrales que potenciarán tu conexión con las palabras que tienes ante ti.

Buscar palabras clave

Empieza por analizar el texto y resaltar las palabras cruciales. ¿Cuáles aportan más significado? ¿Cuáles aparecerían necesariamente en un resumen del discurso? ¿Cuáles son más sorprendentes? ¿Cuáles tienen más fuerza, valor emocional o sustancia? Busca verbos contundentes y sustantivos pintorescos. Retrocede y pregúntate: «¿Qué sentido tiene esta frase?» (desde el punto de vista de la audiencia, desde luego).

Considera esta oración: «Tras una extensa investigación, nosotros hemos descubierto que el problema afecta tanto a jóvenes como a adultos».

No resultaría sorprendente oír a un orador pronunciar esta frase así: «Tras una *extensa* investigación, *nosotros* hemos descubierto que el problema afecta *tanto* a jóvenes *como* a adultos». Ahora bien, es poco probable que un resumen sucinto del discurso incluyera las palabras «extensa», «hemos», «tanto» y «como». (En general, tendrías que evitar poner el énfasis en pronombres y conjunciones, ya que rara vez son las partes sustanciales de la oración.) Lo más probable es que «jóvenes» y «adultos» sean las palabras importantes aquí, puesto que al parecer indican quiénes son las personas afectadas por el problema sobre el que estás hablando. Si es así, deberías poner el énfasis en esas palabras.

Busca un modo de señalar las palabras clave del texto para asegurarte de que recuerdas su importancia. (Muchos actores empiezan a trabajar en una obra marcando el guión de ese modo.) Subraya, pon asteriscos, marca con rotuladores fosforescentes o haz tus propios signos. Mientras sepas que todas esas marcas significan que una palabra u oración tiene especial importancia, es más probable que le imprimas un énfasis que haga que su significado y su valor sean lo más claros posible.

Como ocurre con otros muchos aspectos de este libro, hace falta un poco de gracia. Gritando más cada vez que veas una palabra subrayada no vas a conseguir nada. En el próximo capítulo hablaremos sobre cómo utilizar el tono, el tempo y el lenguaje corporal para hacer hincapié en un aspecto; pero por ahora piensa en tus marcas como recordatorios para que tu subconsciente no pierda el rastro de las ideas importantes. Sólo la atención consciente y continuada a lo que estás diciendo y a la reacción que esperas obtener del público hará que el énfasis que pongas sea claro y efectivo. Si piensas del modo adecuado, muchos aspectos de la interpretación saldrán por sí solos.

Palabras con eco

«Pero espera —dices—, yo soy una persona bastante astuta y el primer modo de decir esa oración no me ha parecido tan mal.» Si has pensado eso, hasta cierto punto tienes razón, y eso pone de manifiesto un aspecto importante que no hay que perder de vista cuando se buscan palabras clave: el contexto lo es todo.

Supongamos que una organización que no es la tuya ha investigado el problema descrito en tu discurso y tú acabas de explicar que tras una investigación muy escasa llegaron a la conclusión de que el problema no afectaba ni a jóvenes ni a adultos. En ese caso, la oración que aparece más arriba tiene perfecto sentido: «Tras una *extensa* investigación *nosotros* hemos descubierto que el problema afecta *tanto* a jóvenes *como* a adultos». «Extensa» se enfatiza para dejar claro que la investigación del otro grupo es muy escasa; «nosotros» se enfatiza para diferenciarnos de «ellos», y «tanto» y «como» se enfatizan para marcar la diferencia de la otra conclusión (incorrecta): ni los unos ni tampoco los otros.

Esto es un ejemplo de una pauta de discurso muy frecuente que denominamos «eco»: las palabras que se repiten (como «investigación», «jóvenes» y «adultos» en este caso) son sólo un eco, se subordinan al nuevo material, que a su vez se enfatiza. Lo hacemos de forma automática y constante, en las conversaciones de cada día. Esto son al mismo tiempo buenas y malas noticias: buenas porque todos estamos acostumbrados a hacerlo, aunque puede que de una manera totalmente inconsciente, y por lo tanto deberíamos ser capaces de hacerlo con bastante facilidad; malas porque el hecho de que todo el mundo lo haga con tanta naturalidad significa que si no lo haces cuando es necesario, tu discurso sonará raro y el sentido de tus palabras puede tergiversarse.

Prueba lo siguiente:

Imagina que tu tía Millie acaba de decirte: «Jackie ha ido a la tienda a comprar pan». Ahora respóndele en voz alta, como si estuvieras hablando con ella normalmente: «Freddy ha ido a la tienda a comprar leche».

Si piensas realmente en lo que ella te ha dicho y en lo que le has respondido y por qué, lo más probable es que llegues a la conclusión de que tu respuesta ha sido esta: «*Freddy* ha ido a la tienda a comprar *leche*». La parte central de la frase («ha ido a la tienda a comprar») todavía flotaba en el aire, ya que Millie acababa de decirte exactamente eso mismo, de modo que no tenías ninguna necesidad de darle un énfasis especial. Si hubieras dicho: «Freddy ha ido a la *tienda* a comprar leche», cualquiera que te escuchara pensaría que no habías oído bien a tu tía Millie. El énfasis se pone en «Freddy» y «leche» porque esas son las dos informaciones nuevas, mientras que el resto de la frase está subordinado a ellas.

Busca en tu guión partes en las que se repitan las palabras, porque se trata de lugares en los que probablemente algunos aspectos deberían sonar como un eco y habría que resaltar información nueva. Practica diciendo esos fragmentos en voz alta hasta que sientas que comprendes bien que el eco ayuda a aclarar el significado del texto. Y no tengas miedo de exagerar: cuando a uno le parece estar sobreactuando, en realidad suele no ser así.

Explotar las estructuras paralela y en oposición

El eco es un ejemplo específico de una categoría de mecanismos lingüísticos que denominamos «estructuras paralela y en oposición».

Considera el siguiente párrafo: «En 1995, el 76 por ciento de nuestros miembros ganaron cerca de cien mil dólares; en 1999, el 85 por ciento ingresaron más de tres millones».

En primer lugar, aquí hay eco: «mil novecientos noventa» y «por ciento» se repiten textualmente, de modo que en el segundo caso en que aparecen deberían carecer por completo de énfasis. El último *nueve* de 1999 tendría que cobrar protagonismo, ya que se trata de un elemento nuevo y diferente frente al «cinco» de 1995, y por supuesto, el *ochenta y cinco* se habría de resaltar frente al «setenta y seis».

La novedad está en que ese «ingresaron más de» debería perder importancia: si bien esas palabras exactas no se han dicho antes, la idea que expresan está presente con el «ganaron cerca de» que aparece en la oración que la precede. La información más importante es *tres millones*, que desempeña la misma función en la segunda oración que las palabras «cien mil» en la primera.

Este es un ejemplo de estructura paralela, en la que las dos partes de una idea se expresan bajo la misma forma. El discurso fue escrito de ese modo para señalar tanto los parecidos como las diferencias de los dos fragmentos de información. Ayudar a la audiencia a comprender qué fragmentos de información se están comparando forma parte de la tarea del orador.

Del mismo modo que en ocasiones hay que mostrar cómo determinados aspectos de una oración o un párrafo desempeñan la misma función, otras veces es importante contraponer los elementos:

«Vengo a *destruir* al César, no a *elogiarle*.»

Cualquier Marco Antonio que apareciera en el escenario y dijera: «Vengo a *destruir* al César, *no* a elogiarle» sería abucheado por el público. Decir eso no tiene ningún sentido, porque el actor no se ha planteado seriamente qué partes de la oración se encuentran en oposición. La frase tiene que ver con la diferencia entre «destruir» y «elogiar», y si el actor no deja claro que lo sabe, el público no le entenderá.

Así pues, vuelve a leer tu discurso y busca aquellos lugares en los que haya estructuras retóricas paralelas y en oposición. ¿En algún momento confrontas el pasado y el presente, ideas nuevas y sabiduría popular, problemas y soluciones, buenas noticias y malas noticias? Asegúrate de que comprendes la comparación o el contraste y después practica esas partes en voz alta, explotando la estructura para conseguir el máximo efecto. Probablemente te convenga encontrar un modo sencillo de marcar el guión para luego recordar qué debes hacer al llegar a esas partes.

Hasta ahora hemos hablado mucho de palabras específicas, pero no dejes que los árboles te impidan ver el bosque. Los mismos conceptos sirven para oraciones, párrafos e incluso para la estructura general del discurso. Has de saber cómo están relacionadas entre sí las ideas que expones, qué información es nueva y por lo tanto más importante, qué conceptos están yuxtapuestos y si quieres que la audiencia los vea como elementos parecidos o diferentes. Si te tomas tu tiempo para realizar un análisis de alto nivel, tus argumentos saldrán fortalecidos y te será más fácil comunicar tu mensaje.

Conectar con las palabras mediante el ensayo

Como todo actor atestiguará, una cosa es comprender desde el punto de vista intelectual los conceptos del análisis textual y otra muy diferente llevarlos a la práctica. A continuación presentamos algunos ejercicios que te harán alzar el vuelo al pronunciar fragmentos del texto en voz alta, expresando de forma clara y poderosa la lógica inherente al discurso.

El ejercicio del «¿Qué?»

Reúnete con un amigo que esté dispuesto a ayudarte a ensayar. Pronuncia tu discurso (o al menos buena parte de él) en voz alta y pídele que te escuche atentamente y diga: «¿Qué?» siempre que piense que podrías ser más claro o animado. Cada vez que tu amigo pregunte: «¿Qué?», repite la última frase hasta que su significado y su intención sean lo bastante claros para satisfacerle (y para hacerle dejar de decir «¿Qué?» en esa frase).

Es necesario que se trate de alguien decidido, que pueda ser duro contigo y se atreva a insistirte con frecuencia para que te expreses con más claridad. Cuando respondas, resístete a la tentación de cambiar las palabras: utilizando exactamente las mismas, busca un modo de hacer que te comprenda del todo.

Evita también la manipulación consciente de las inflexiones:

TÚ: He *ido* a la tienda a comprar leche.

AMIGO: ¿Qué?

TÚ: He ido a la tienda a *comprar* leche.

Si piensas demasiado en cómo lo estás diciendo, todas las frases se descompondrán en las partes que las integran y dejarán de tener significado. Mucho más importante que cómo se dice una frase es por qué se dice. Una vez tengas un motivo claro para hablar, seguro que conseguirás tu propósito. Así pues, en lugar de intentar cambiar el modo de decir las palabras, piensa globalmente y concéntrate en conseguir que el oyente te comprenda del todo. De nuevo, no te preocupes por sobreactuar: el objetivo que persigues no es el decoro, sino la claridad.

Este ejercicio está pensado para contrarrestar la tendencia que se tiene a asumir que lo único que hace falta para que lo que uno dice quede claro es que las palabras salgan de la boca. La verdadera claridad está en la intención, además de estar en el significado literal de las palabras. Tus oyentes han de comprender no sólo lo que les estás diciendo, sino también por qué lo haces.

Al hacer el ejercicio del «¿Qué?» probablemente empieces a intentar anticiparte a tu amigo hablando de forma tan clara y animada que él no tenga motivos para interrumpirte. Cuando eso ocurra, presta atención al nivel de esfuerzo que estés realizando: así es como se siente uno al comunicarse con un compromiso y una claridad absolutos. No te conformes con menos.

El ejercicio de parafrasear

Un buen actor convence al público de que no existe guión, de que el personaje va inventando las palabras conforme avanza, como haría en la vida real. Para dar esa impresión de forma satisfactoria, el actor ha de poseer las palabras del personaje y desarrollar una conexión tan profunda con ellas que cada vez que las pronuncie éstas parezcan espontáneas e inevitables. El ejercicio que presentamos a continuación está diseñado para ayudarte a interiorizar las palabras de tu discurso y aumentar tu conexión con el significado total del texto.

Ahora que has acabado de escribir todas las palabras del discurso, déjalas a un lado (temporalmente, por supuesto). Pronuncia tu discurso (o buena parte de él) sin el guión, sin intentar siquiera utilizar las palabras que lo componen. Limítate a improvisar.

El objetivo ha de ser expresar todo cuanto puedas de tu mensaje sin consultar el guión. Suéltate: di lo que quieras. Eres libre de comunicarte del modo que te resulte más familiar, utilizando las palabras que te vengan a la cabeza, incluso saliéndote por la tangente si eso te ayuda a avanzar.

Transmitir el mensaje del discurso extrayéndolo directamente de la cabeza te obliga a asimilar el tema, a hacerlo realmente tuyo, y también contrarresta la tendencia tan habitual a ver un discurso como poco más que una ristra de palabras que se han de pronunciar. ¿Te has saltado alguna idea principal? Tal vez hayas de volver atrás y plantearte por qué se trata de una idea importante. ¿Hay alguna parte en la que te detengas mucho tiempo y de la que hables animadamente? Intenta llevar ese entusiasmo contigo cuando regreses al guión.

Prueba lo siguiente: parafrasea parte del discurso y entonces, sin parar, empieza a pronunciar una parte cualquiera del texto real, intentando poner en el guión el mismo entusiasmo, tono e inflexión (todo lo bueno que tiene la improvisación). Se trata de que te imites a ti mismo cuando improvisas. Es un excelente modo de dar vida a las palabras, que a veces pueden parecer muertas sobre el papel.

El ejercicio del tejido conectivo

Aquí tienes otro sencillo ejercicio para potenciar la conexión entre las palabras y tú. Vuelve a pronunciar parte del discurso utilizando las palabras exactas del texto, pero esta vez con algunas añadiduras. Al terminar cada oración, haz una pregunta o inserta una frase de transición. En el siguiente ejemplo hemos insertado algo de «tejido conectivo» en uno de los grandes discursos del siglo XX:

> En la larga historia del mundo, sólo a unas pocas generaciones se les ha concedido el papel de defensoras de la libertad en los momentos de máximo peligro. [*¿Es la nuestra una de esas generaciones?*] Yo no sólo no vacilo en aceptar esa responsabilidad, sino que le doy la bienvenida. [*¿Y ustedes?*] No creo que ninguno de nosotros se cambiara por una persona de cualquier otra generación. [*Creo que puedo decir que están de acuerdo conmigo en ese sentido.*] La energía, la fe, la devoción con que realizamos este esfuerzo iluminará nuestro país y a todos aquellos que están a su servicio, y el resplandor de ese fuego puede realmente iluminar el mundo. [*¿Ven a dónde quiero llegar con esto?*] Así pues, compatriotas americanos, no os preguntéis qué puede hacer vuestro país por vosotros, sino qué podéis hacer vosotros por vuestro país. [*Sabéis que*

os sentiréis mejor con vosotros mismos si lo ha-
céis.]

Trata de hacer lo mismo con tu propio discurso; oblígate a añadir algo al final de cada frase. La idea es expresar con palabras las conexiones subtextuales de oración en oración, ser más consciente de lo que son (o pueden ser) y, por lo tanto, más capaz de comunicarlas. Eso debería proporcionarte una sensación más intensa de la estructura del discurso. Si hay algún lugar en el que no se te ocurra qué decir, estúdialo hasta que te hagas una idea de un pensamiento no hablado que pueda ir allí y después intenta inserirlo en el texto.

Tras haber completado este proceso en un par de ocasiones, vuelve a pronunciar tu discurso, esta vez solamente *pensando* en las transiciones de tejido conectivo, sin decir las palabras de viva voz. Utiliza las pausas de pensamiento para llegar a tus oyentes y asegúrate de que comprenden a la perfección la lógica de los argumentos que expones. Ve reduciendo la duración de las pausas hasta que desaparezcan del todo, pero mantén la conexión entre un pensamiento y otro.

Como puedes ver, se trata tanto de conectar con el público como con las palabras. Dirijamos ahora nuestra atención hacia aquellas personas que dan sentido a todo esto.

Conectar con la audiencia a través de las palabras

Todo el mundo sabe que lo que se dice en un discurso es importante, pero eso sólo es un lado de la historia: importa muchísimo más cómo escucha la audiencia lo que se dice. A continuación mostramos ejercicios que te ayudarán a asegurarte de que tus oyentes reciben el mensaje tal como tú deseas.

Buenas noticias y malas noticias

Relee la famosa frase de Kennedy: «No os preguntéis qué puede hacer vuestro país por vosotros, sino qué podéis hacer vosotros por vuestro país». Una gran frase, sin lugar a dudas. Ahora imagina que en lugar de Kennedy (el joven líder vibrante que inspiraba a los hombres del país para conseguir nobles hazañas), quien hubiera dado ese discurso hubiera sido un presidente ineficaz, resignado y amargado (elige un nombre concreto, si lo deseas) que pidiera ayuda penosamente para dirigir el país: «No os preguntéis qué puede hacer vuestro país por vosotros, sino qué podéis hacer vosotros por vuestro país».

¿En qué varía la inflexión? ¿En el uso del tono? ¿Qué lenguaje corporal cabría esperar? Cada persona tendrá respuestas diferentes a esas preguntas, pero independientemente de lo que imagines, es muy probable que para los oyentes del presidente todas se traduzcan en una misma cosa: malas noticias.

Para JFK era muy importante saber que con esa frase estaba transmitiendo buenas noticias (*Si todos trabajamos juntos, podemos hacer que este país sea más fuerte*), así como asegurarse de que su discurso le ayudaba a conseguirlo.

Escoge una oración o un párrafo de tu discurso al azar. A continuación, mira bien esas palabras. ¿Transmiten buenas o malas noticias?

La mayoría de personas responden a esa pregunta evitándola. «Ninguna de las dos cosas» no es una buena respuesta. Si en su momento decidiste que lo que vas a trasmitir son noticias neutras, vas derecho hacia el desastre o, al menos, hacia un discurso terriblemente pesado. En oratoria, las noticias neutras siempre son malas noticias.

Como orador, tu tarea no consiste sólo en trasmitir los hechos, sino también en ayudar a los oyentes a interpretarlos y utilizarlos. Por ese motivo las palabras nunca pueden ser indiferentes. Decide qué valor poseen para ti y después intenta conseguir que la audiencia comparta tus sentimientos.

Para potenciar tus capacidades en este ámbito crucial, di cada una de las siguientes frases dos veces: una como si se tratara de noticias extraordinarias para tus oyentes y otra como si fueran noticias nefastas:

El año 2039 será uno de los más cálidos de la historia.

El negro no es un color.

Siempre he dependido de la amabilidad de los extraños.

Un número sorprendente de estadounidenses nunca han leído un periódico ni han visto las noticias por televisión.

El consejo más importante que hay que tener en cuenta sobre el tema de las buenas noticias y las malas noticias es que prácticamente todo cuanto digas en un discurso ha de ser o una cosa o la otra. El siguiente consejo más importante es que la mayoría de ello tendrían que ser cosas buenas.

Por supuesto, eso no significa que ahora debas retroceder para cambiar las palabras de tu discurso, sino sencillamente encontrar la manera de expresar lo que ya tienes de un modo positivo.

El discurso de Kennedy es un gran ejemplo de cómo una situación realmente negativa se puede interpretar positivamente. Ahora bien, para conseguirlo se requiere una fuerza de voluntad especial: es necesario que quieras ser positivo, y eso puede resultar contrario a la naturaleza humana. Piensa en el siguiente párrafo: «Nuestra empresa perdió más de setenta y cinco millones de dólares el pasado trimestre. La próxima semana celebraremos una reunión para discutir qué deberíamos hacer al respecto y queremos que todo el mundo esté presente».

La mayoría de la gente diría que eso suena bastante mal. Si haces caso de la primera impresión (que son malas noticias), tienes muchas probabilidades de hacer que la audiencia se deprima completamente y se aleje de ti. Así pues, detente y plantéate lo siguiente: «¿Por qué quiero que estas personas oigan esto? ¿Qué pretendo que hagan?»

Una posible respuesta: «Quiero que lo oigan para que compartan mi tristeza. Lo que pretendo es que se sientan culpables y tengan ganas de suicidarse».

En primer lugar, aunque te encuentres en una situación tan terrible como para responder algo parecido a eso, ten en cuenta que ese tipo de respuesta es sólo tu primera reacción, la más obvia. Si intentas buscar algo más positivo, lo encontrarás.

A ver qué te parece esto: «Necesito que lo oigan porque no podremos llegar a una solución hasta que todo el mundo conozca la gravedad de la situación. Lo que quiero que hagan es acudir a la reunión con nuevas ideas».

Esa respuesta no pasa por alto la seriedad de lo que está sucediendo (*hay* malas noticias), pero se concentra en el motivo por el que la información es importante para las personas del público, y no únicamente para el orador. Fíjate en que estarás diciendo las mismas palabras independientemente de cómo respondas a las preguntas que te planteen (el discurso ya está escrito), pero estar atento a todas las oportunidades de enfocar las cosas de un modo positivo será muy importante en tu exposición y hará maravillas a la hora de poner a la audiencia de tu parte, que es donde quieres que esté.

Extraer y separar

Las palabras y las oraciones «clave» que has identificado no son las únicas que necesitan un tratamiento especial en tu exposición. Cualquier cosa nueva, inusual, interesante, colorista o metafórica se ha de decir de manera que indique a la audiencia que es especial. A nosotros nos gusta pensar que enfatizar ese tipo de cosas es como «extraerlas» del texto y trasladarlas a la mente de los oyentes, donde éstos las reconocen como nuevas, inusuales, interesantes, coloristas, metafóricas o cualquier otra cosa.

Fíjate en el párrafo que acabas de leer. En él hay dos expresiones entre comillas, ¿por qué?

Lee la primera frase en voz alta dos veces, la primera vez sin prestar atención a las comillas y la segunda pensando en ellas como parte integrante del significado de la frase. ¿Cómo afectan las comillas a tu modo de pronunciar la palabra?

Hay muchas posibilidades de que cuando digas «clave» teniendo en cuenta las comillas lo hagas un poco más despacio que al pronunciar el resto de palabras. También es probable que subas un poco el tono al llegar a esa palabra. Puede que también experimentes una sensación general de estar esforzándote más por comunicar el significado específico de esa palabra en concreto, quizás incluso utilizando más los músculos faciales que en el resto de la oración. Tal vez estés tentado de mover las manos para contribuir a la comunicación (pero no hagas unas comillas con los dedos, por favor).

Por lo general, el motivo por el que se entrecomilla una palabra es que la persona que escribe la oración desea advertir al lector de que esa palabra se está utilizando de un modo muy específico y quizá poco tradicional. En el caso de la palabra «clave», tiene que ver con el uso específico que se le ha dado en la sección «Buscar palabras clave» de la página 108.

Vuelve a fijarte en el primer párrafo de esta sección y repite en voz alta la última oración. En ella «extraerlas» está entre comillas por un par de razones. Se trata de una nueva expresión y queríamos apuntar que es importante y que la utilizaremos más adelante. Además, estamos indicando un uso de esa palabra más metafórico que de costumbre. No estamos extrayendo nada del cubo de la basura; lo que hacemos es algo que quizás sea completamente nuevo para ti, de modo que hay que «extraer» la expresión del resto del texto para señalarte que hemos hecho algo inusual y potencialmente interesante con ella.

¿Qué relación tiene todo esto con tu discurso? Bien, si dispones de un buen guión, probablemente esté lleno de palabras y frases nuevas, inusuales, interesantes, coloristas o metafóricas. Sin embargo, es de prever que no estén entrecomilladas y, aunque lo estuvieran, el público no podría ver las comillas.

Si tu exposición no trasmite el valor intrínseco de esas expresiones, el público desconectará y se preguntará: «¿Es que no se da cuenta de que esa expresión es nueva, inusual, interesante, colorista o metafórica? ¿O es que en realidad es menos especial de lo que yo creo?» Por supuesto, ambas reacciones van en contra de los objetivos que te has marcado.

Imagina esas expresiones entrecomilladas. (O aún mejor: entrecomíllalas.) Extráelas del texto para ayudar al público a darse cuenta de lo especiales e interesantes que son.

Aquí tienes otra manera de plantear la idea de la extracción: imagina que estás acuñando determinadas frases por primera vez, que nunca antes se han utilizado de ese modo en concreto. Dedica más esfuerzo a hacer que tu audiencia entienda exactamente lo que quieres decir; aunque sea algo muy específico y hayas elegido la palabra perfecta, sin tu interpretación la palabra por sí sola no puede comunicar todo lo que tú quieres decir.

Probablemente tu discurso tenga muchas más palabras y frases que merecen ser extraídas de las que creías en un primer momento. Echa un vistazo a las siguientes oraciones y decide qué términos habrían de resaltarse del resto. Enfatizarás cada una de esas oraciones de un modo diferente (y en algunos casos puede que te parezca que las comillas no son el recurso más sugerente, y entonces puedes pensar también en recurrir a la cursiva), pero todas ellas se resentirían de una pronunciación plana. Di cada frase en voz alta, con mucho énfasis.

En la primera parte, «Llegar al Carnegie Hall», hablaremos sobre los hábitos de ensayo de varios de los músicos más destacados del siglo.

John Wayne es una figura de proporciones mitológicas.

Quizás el avance más importante sea la introducción de Interceptores de Interferencia Bicoastiales, o IIB.

El gobierno federal se ha pasado cuatro años paseando por el lado salvaje.

La primera frase tendría que haberte sido fácil, puesto que las comillas ya estaban puestas. No obstante, a un número sorprendente de oradores les gusta hacer su exposición como si sus oyentes supieran de antemano cómo se llama la primera parte, aunque en realidad no lo sepan. De hecho, es algo especial e interesante y merece que le dediques un instante para tomar aire y darle un poco de colorido vocal.

«Proporciones míticas» es una exageración. Márcalo para indicar que eres consciente de ello; de lo contrario, parecerá pretencioso.

Una expresión nueva como Interceptores de Interferencia Bicoastiales, a menudo se dice demasiado rápido como para que el público pueda captarla; unas comillas te ayudarán. Lo mismo ocurre con la sigla, ya que presumiblemente la utilizarás más adelante en el discurso y el público habrá de recordarla. (Por cierto, las siglas se deberían presentar siempre de este modo: justo después de la expresión completa. No utilices nunca una sigla sin haberla dicho antes junto a la forma completa a menos que estés seguro al cien por cien de que todos los miembros del público conocen con exactitud su significado.)

Y finalmente, si vas a utilizar una expresión como «caminar por el lado salvaje», asegúrate de que estás dispuesto a reírte aunque sólo sea un poco de ti mismo.

Identificar compases

El actor Henry Irving daba el siguiente consejo a sus colegas: «Recordad por encima de todo que cada oración expresa un pensamiento nuevo y que, por lo tanto, a menudo requiere un cambio de entonación». Buen consejo. Debes saber (y ayudar a la audiencia a entender) dónde comienzan y acaban tus pensamientos.

Algunos oradores no dejan de superarse a sí mismos, y pasan de un pensamiento a otro antes de haber terminado completamente el que les ocupa. Ese tipo de orador es conocido por dejar a sus oyentes en ascuas. Si notas que tienes tendencia a unir las frases y a crear ideas demasiado largas para que la audiencia pueda entenderlas, deberías regresar al ejercicio de empezar y parar (página 92); eso te ayudaría a identificar el final de cada idea y a utilizarlo para fortalecer tu conexión con el público.

El problema contrario es tan habitual como éste. Algunas personas… interrumpen sus ideas… a la mitad. Las pequeñas pausas aleatorias pueden afectar seriamente al fluir del significado. Esa pauta al hablar quizá provenga de mover una mano con demasiado énfasis o de no pensar las cosas con suficiente antelación.

Los actores shakesperianos, que se enfrentan a textos extremadamente complicados, conocen el valor de «pensar con perspectiva», es decir, de tener en mente la totalidad de la idea mientras se dice cada parte de la oración. Si te das cuenta de que interrumpes el texto demasiado a menudo, intenta pensar en la idea (y hablar) globalmente en lugar de dar vueltas a las partes individuales que la componen. Si, por el contrario, tiendes a expresar pensamientos demasiado largos y complejos a partir de otros bastante simples, trata de acortar tu percepción de dónde empiezan y acaban esos pensamientos: asegúrate de que piensas siempre en ideas completas y no en fragmentos.

Por supuesto, existen muchos niveles de pensamiento en tu discurso. Por un lado está el nivel oracional, que acabamos de tratar, pero también hay niveles más elevados. Necesitas empezar y acabar cada párrafo e incluso cada sección y subsección del discurso de forma efectiva; si no lo haces, la audiencia no conseguirá seguir la pista de los elementos de unión del discurso, es decir, se perderá.

A muchos actores les gusta marcar compases en el guión. Un compás es un fragmento de diálogo que de algún modo parece ser una misma pieza. Por lo general, eso significa que hay una sección durante la cual el personaje interpreta la misma acción (como rogar piedad), pero cuando la acción varía (por ejemplo, para pedir justicia) encontramos un nuevo compás. Marcar los compases implica examinar el guión y hacer anotaciones para recordarse a uno mismo dónde se encuentran los cambios de compás.

Vuelve a leer tu guión y coloca una doble barra (//) tras las oraciones que indiquen el final de un pasaje o de un grupo de ideas relacionadas; así recordarás que has de hacer una pausa, respirar y cambiar de entonación mientras pasas de un compás al siguiente.

Listas

Otra lección de Shakespeare:

«¿Y el judío no tiene ojos, ni manos, ni órganos, ni alma, ni sentidos, ni pasiones? ¿No se alimenta de la misma comida, no recibe las mismas heridas, no padece las mismas enfermedades y se cura con iguales medicinas, no tiene calor en verano y frío en invierno lo mismo que el cristiano?»

Shylock, el famoso mercader de Venecia, expone su punto de vista recitando una lista, una larga lista de las muchas razones por las que los judíos debían disfrutar del respeto y los privilegios que se dispensaba a los cristianos en la descripción que Shakespeare hacía de la sociedad veneciana. Se trata de un mecanismo retórico extremadamente eficaz, pero sólo si el actor que interpreta a Shylock consigue desvelar la importancia única de cada imagen de la lista en la mente de los oyentes. Si «ojos» suena igual que «manos», y «sentidos» no se puede distinguir de «pasiones», enumerar todos los elementos de la lista no tiene razón de ser. Shylock podría haber dicho también: «Yo soy igual que vosotros» y zanjar el tema.

Las listas son delicadas y, como los demás aspectos que hemos tratado, requieren más brío a la hora de pronunciarlas. Al recitar cualquier lista, debes asegurarte de que la audiencia comprenda dos cosas: en primer lugar, que lo que están oyendo es una lista, y en segundo lugar, lo que hay en la lista (y no es tan fácil como parece).

Para conseguir lo primero empieza por preguntarte: «¿Cuál es el nexo de unión entre los elementos de esta lista?» ¿Se trata de pasos de un procedimiento, conceptos importantes que mencionarás más adelante en el discurso, tendencias positivas? Para que la audiencia aprecie la unidad interna de la lista, habrás de tener en cuenta esa unidad cuando la presentes. Algo similar ocurre con el modo de decir cada elemento de la lista: tal vez una ligera inflexión creciente al final de cada elemento que te lleve al siguiente; quizá pequeñas pausas antes y después de cada elemento. Un cambio inexplicable en la pauta de inflexión en medio de una lista puede llevar al público a creer que se trata del comienzo de una nueva oración, cosa que alterará el significado.

El siguiente paso es preguntar: «¿En qué medida es especial o único cada uno de estos elementos?» ¿Van aumentando en importancia, dramatismo o absurdidad? Una excelente manera de dar forma a una lista y mantener al público atento es hacer que cada elemento nuevo sea mejor que el que lo precede.

En algunas ocasiones no es necesario que la audiencia entienda mucho más allá del hecho de que la lista es larga. «El mármol de la cocina estaba repleto de cosas: pan, leche, alcachofas, tomates, cereales, patatas, muslos de pollo...» Si lo principal es que había muchas cosas sobre el mármol, el orador se puede permitir pasar muy deprisa por la lista.

Otras veces las listas contienen información completamente nueva para los oyentes o ideas cruciales que han de ser recordadas: «Los pasos de la reanimación cardiopulmonar (RCP) son: (1) llamar al 061, (2) comprobar que la víctima respira, (3) realizar dos ventilaciones, (4) tomarle el pulso, (5) colocar las manos en posición, (6) realizar quince compresiones torácicas». En esta lista los elementos individuales son tan importantes como la lista en sí y tendrás que tomarte tu tiempo para asegurarte de que los oyentes han entendido todos los puntos. Si sabes qué tipo de lista estás presentando, te será mucho más fácil hacer que el público te entienda tal como deseas.

Estadísticas

¿Es 83 por ciento una cifra alta o baja?

Bueno, si se trata del porcentaje de asesinatos no resueltos en una de las principales ciudades de Estados Unidos, la mayoría de personas considerarán que es elevada. Ahora bien, si se trata de la media de álgebra de una escolar que el semestre anterior obtuvo un 96 por ciento, entonces es baja.

Las estadísticas carecen de significado si no se interpretan. Por lo tanto, si estamos leyendo, hemos de buscar las claves que nos ofrece el contexto para comprender cómo realizar esa interpretación. Si te estamos escuchando, necesitamos que utilices la voz para interpretarlas.

¿Cómo conseguirlo? Como con tantas otras cosas, lo mejor es emplear la intuición (además de ser consciente de tus recursos expresivos). Sin pensar demasiado, pronuncia cada uno de los siguientes ejemplos en voz alta. Decide una interpretación (¿grande o pequeña?) de cada estadística y después haz todo lo posible por comunicarla con fuerza.

El pasado año el 83 por ciento de nuestros ingresos provino de contribuciones. Este año la cifra es del 91 por ciento.

En el curso del 27, cuarenta alumnos fueron a la universidad. En toda la ciudad hubo cuarenta y dos graduados de instituto.

Reducir la producción de basura a escala nacional a cinco millones de toneladas al año es físicamente imposible. Cada mes se tiran cinco millones de toneladas de basura a la bahía de Marina.

Si comunicar el valor de esas cifras te ha supuesto un esfuerzo superior a lo que esperabas, bien; si no es así, vuelve atrás e inténtalo de nuevo. Puede que te parezca sobreactuar, pero es el único modo de hacer que los números cobren vida para la audiencia. Si no lo consigues, quizá termines destruyendo el valor de todas las estadísticas de tu discurso.

Puede que hayas notado que esta idea está íntimamente ligada a la de las buenas noticias y las malas noticias. Ambas se basan en ayudar a los miembros de la audiencia a ver la información del modo en que quieres que la vean, y sólo podrán hacerlo si tienen del todo claro cómo la ves tú. Así pues, no temas hacérselo saber; continúa y actúa con algo de teatralidad.

Recursos especiales

Contar cuentos

Quizás el arte de contar cuentos sea la capacidad oratoria más cercana al arte de actuar. En una anécdota no existe la posibilidad de escapar a la necesidad de personalizar el tema. Tus oyentes sólo la apreciarán si comprenden el valor que tiene para ti.

En el capítulo anterior nos dedicamos a conectar con los elementos concretos físicos y emocionales de las historias que has de explicar; ahora ha llegado el momento de pensar en cuál es el mejor modo de comunicar esos elementos a tus oyentes.

Utiliza las historias para llegar activamente a tu público. Mientras compartes tu experiencia (o tu interpretación personal de la experiencia de otra persona), imagina que tu subtexto no hablado es: «Sé que *todos* hemos experimentado algo parecido...» Se trata de una magnífica forma de crear una sensación de intimidad con los oyentes y de mantenerlos comprometidos a nivel personal, que sin duda es el único nivel que realmente importa.

Para contar bien un cuento hay que tener en cuenta tanto los detalles como el valor global de cada historia mientras se explica. Ayuda a la audiencia a comprender cómo se relaciona un acontecimiento de la historia con otro, en qué momento los acontecimientos desembocan en un clímax, y cuál es la moraleja que se puede extraer. Y lo más importante: las historias que expliques han de conectar de algún modo con la sustancia de tu discurso. Puede tratarse de una conexión periférica, pero no te vayas por la tangente sin más, sin ofrecer a los oyentes una buena razón para alargar un discurso que tal vez ya les parezca demasiado largo. Tu discurso debería poseer o implicar esa conexión, pero asegúrate (antes, durante y después de explicar la historia) de que eres plenamente consciente de la relación que existe entre la historia y el tema del discurso. Mantener esa conexión en un lugar predominante de tu mente contribuirá a que el público perciba claramente su importancia.

• • •

Utilizar el humor

Si te consideras el alma de las fiestas, enhorabuena. Sin embargo, recuerda que no has de ser una persona graciosa para utilizar el humor con eficacia en un discurso. El actor de Broadway Fred Silver apuntó en una ocasión que Nancy Walker, una de las mejores humoristas con las que había trabajado, era también una de las personas más serias que conocía. De modo que anímate: aunque creas que eres tan divertido como una multa de tráfico, tu imagen social habitual no supondrá barrera alguna para utilizar el humor en un discurso.

Por supuesto, eso no significa que tu personalidad no intervenga en absoluto. Si nunca has sido capaz de explicar bien un chiste, entonces mejor será que no utilices los chistes. Si en estos momentos estás escribiendo tu discurso, ya te hemos aconsejado que pienses en el tipo de humor que mejor se te da.

Con frecuencia las mejores oportunidades para introducir elementos humorísticos en un discurso provienen de frases que a primera vista no parecen divertidas, pero que poseen un potencial oculto para desarrollar la ironía o conseguir que la audiencia se identifique con las pequeñas absurdidades de la vida.

> Centremos nuestra atención en el grupo de profesores conocidos entre los estudiantes como los Señores de la Disciplina.

> Muchos miembros del consejo creen que ese problema desaparecerá sin más.

Puede que el primero de estos ejemplos te resulte divertido, o puede que no. Si te lo parece, fantástico; explota el humor que encuentres en él. Si no te lo parece, busca el humor, créalo. No estamos hablando de hilaridad, sino sólo de una sutil revelación, de un momento de levedad.

La primera de las oraciones propuestas podría decirse directamente, con absoluta seriedad. De todos modos, sería mucho mejor destacar «Señores de la Disciplina» para dejar claro que te percatas de que ese es un nombre ridículo. Invita al público a sonreír para sus adentros ante la agudeza de los alumnos, o ante el excesivo entusiasmo disciplinario de ese grupo de profesores. Hazles saber que compartes su interpretación. Involúcrate en la broma, por pequeña que sea.

Si dices una frase como esa, no tiene por qué haber ningún problema a menos que gran parte del público vea una nota de humor que tú no ves, ya que eso te haría parecer demasiado estirado. Sólo has de asegurarte de que aprovechas todas las oportunidades para reforzar la sensación del público de que estás con ellos, de su lado, en su terreno.

¿Qué hay del segundo ejemplo? En él no se aprecia nada aparentemente humorístico. Sin embargo, intenta mofarte un poco de los miembros del consejo convirtiendo la metáfora en algo real. Imagina que realmente creen que el problema *desaparecerá* por arte de magia de su vista. Pon entre comillas o en cursiva la palabra «desaparecerá» y utilízala para burlarte un poco del consejo (un poco o mucho, en función de lo que consideres oportuno y apropiado). Hazlo en voz alta y ve lo que ocurre. La idea es comunicar que sabes que a muchas personas del público les gustaría ver que alguien se mofa un poco de ese consejo, así que sólo les estás complaciendo.

Por supuesto, ambos ejemplos deben abordarse de un modo completamente diferente en función del contexto. Si los problemas fueran tremendamente graves, lo mejor sería decirlo de la forma más llana posible, pero la regla general es utilizar todas las oportunidades que encuentres para imprimir levedad a tus palabras.

Supongamos ahora que en tu guión aparece realmente un chiste. Puede que para llegar a un punto en el que te sientas completamente cómodo explicándolo haga falta un poco más de ensayo. De hecho, la mayoría de actores te dirán que representar una comedia es mucho más difícil que representar una tragedia.

En primer lugar, jamás te disculpes por explicar un chiste. Nada de «Deténganme si ya lo conocen» o «Permítanme sólo un momento». Nada de encogerte de hombros ni otras expresiones corporales de disculpa. Si el chiste aparece en el discurso, ya tendrías que estar convencido de que es apropiado y pertinente en relación con el tema, y de que merece la pena explicarlo. (En la página 67 encontrarás algunos consejos sobre cómo escoger material humorístico.) No permitas que la timidez eclipse el humor, porque puedes estar seguro de que si lo permites, lo hará.

Si te parece que el chiste es lo más estúpido que has oído en tu vida y apenas puedes obligarte a explicarlo pero sabes que has de hacerlo por un motivo u otro, prueba lo siguiente: Piensa en alguien que conozcas a quien le gusten ese tipo de chistes. (Es probable que si te esfuerzas encuentres a alguien: recuerda que no es necesario que respetes el sentido del humor de esa persona.) Cuando lo hayas conseguido, explica el chiste como si hablaras directamente con esa persona a la que casi con toda seguridad le gustaría. Eso puede ayudarte mucho.

Si lo que te preocupa no es el chiste en sí, sino tu habilidad para contarlo, puedes hacer un par de cosas que te ayudarán a sentirte más seguro. Por un lado, memorízalo. Aunque no te hayas aprendido de memoria el resto del discurso, has de estar siempre preparado para hacer las partes humorísticas de memoria. El humor implica establecer una relación especialmente íntima con la audiencia, y no podrás conseguirlo si no te despegas de la página.

Como con cualquier cuento, pasa un tiempo personalizando tu conexión con el chiste. Visualiza una ocasión en la que te hayas encontrado en una situación similar (aunque quizá menos ridícula). No es necesario que interpretes los diferentes papeles que aparecen en el chiste, pero sí deberías tener una idea de aquello por lo que pasan esos pobres personajes.

También es importante que te asegures de que comprendes la lógica del chiste. Prácticamente todos los chistes tienen un punto álgido: asegúrate de que sabes dónde está. ¿Cómo avanza el chiste hacia el punto álgido? ¿Es el típico chiste con tres personajes? (Ayúdanos a saber dónde comienza y acaba cada parte.) ¿Acaso el humor proviene de un cambio de las expectativas que se produce en el último momento? (Haz cuanto esté en tu mano para lograr que el público siga la pista equivocada.)

Es importante que el punto álgido destaque, y debes concederle un tiempo para que se pose antes de continuar con lo que toque después. Ese es el momento más peligroso a la hora de explicar un chiste. La mayoría de personas están tan preocupadas por obtener las risas del público que el instante inmediatamente posterior al punto álgido está repleto de tensión porque piensan: «No lo han cogido. No les hace gracia. Soy un idiota rematado».

En ese punto es crucial practicar la técnica de empezar y parar. Cuando llegues al final del punto álgido, detente y no vuelvas a empezar hasta que hayas compartido un momento no verbal con la audiencia en el que les hayas comunicado en silencio el valor y el humor de lo que les acabas de ofrecer, *aunque no se estén riendo*. Aunque tengan el ceño fruncido. El hecho de que no se hayan reído no significa que el chiste haya fracasado: los chistes tienen efectos diferentes en cada público, y unas personas son más expresivas que otras. Supón (o, si tienes tendencia al pesimismo, haz ver que lo supones) que el chiste ha salido magníficamente y evita pasar página como si huyeras de un edificio en llamas. A veces el público no reacciona a chistes que le han parecido divertidos porque el orador no le ha dado tiempo o permiso para reír. Sé valiente. Tómate tu tiempo y obtén la recompensa que te mereces.

Por supuesto, es muy probable que la reacción del público ante tu chiste sea de lo más agradable (algo a medio camino entre las clamorosas carcajadas que desearías y el silencio sepulcral que temes). Si te atreves a explicar el chiste como si fueras gracioso, lo normal es que lo seas.

Punto de control de ensayos

Ahora que has identificado las palabras y frases clave, has conectado con los ecos del guión y las estructuras paralelas y en oposición, has probado los ejercicios del «¿Qué?», de parafrasear y del tejido conectivo, has explorado las buenas y malas noticias, has ensayado cómo «extraer», has trabajado en cómo desarrollar claramente tus ideas, has aclarado tus listas, has dado vida a las estadísticas, has personalizado las historias y has animado tu discurso con humor, es hora de unirlo todo. Coge el discurso que acabas de preparar, decide a quién te diriges y pronúncialo con toda la fuerza, la claridad y el valor de lo que seas capaz.

Cuando hayas acabado, toma algunas notas sobre cómo crees que te ha ido. ¿Has hablado con la fuerza con que esperabas? ¿Has conseguido sacar las palabras de la página y meterlas en la mente de tus oyentes imaginarios? ¿Te has acordado de dejar que las ideas se posaran? Desarrollar nuevos hábitos es una ardua tarea, y es importante que celebres tus progresos a medida que avances en este libro. Cuando hayas analizado tu desempeño y te hayas dedicado una sana tanda de aplausos, estarás preparado para dar el siguiente paso: desarrollar un lenguaje corporal eficaz y dominar la técnica vocal.

6. La comunicación centrada

Hay que adaptar la acción a las
palabras y las palabras a la acción.

WILLIAM SHAKESPEARE, *Hamlet*

El cuerpo y la voz: esos son los instrumentos del actor, las herramientas físicas que transforman las ideas teatrales en acción dramática. Con tantas cosas dependiendo de la capacidad de comunicarse por medio de tan pocas herramientas, no resulta extraño que los actores dediquen años a aprender a afinar sus instrumentos, a desarrollar las técnicas físicas y vocales que les permitirán cautivar al público interpretación tras interpretación.

En cambio, los oradores tienden a olvidar que hablar es una actividad tanto física como mental. Muy a menudo dejan de lado la preparación física y vocal e intentan alcanzar el estado óptimo para la intervención en público simplemente pensando.

Pero, como ocurre con la interpretación, hablar en público requiere que el orador controle completamente los aspectos tanto físicos como psicológicos de la comunicación.

Ese es un estado de preparación que los actores definen como «estar centrado» y que se produce cuando todo su ser está dispuesto y entregado a la tarea que les ocupa.

Este capítulo te proporcionará métodos para practicar las habilidades de una comunicación física y verbal centrada y contundente; te ofrecerá la oportunidad de familiarizarte con los elementos básicos de las técnicas de actuación y de aprender a utilizar los elementos particulares de tu propia presencia física y vocal para atraer toda la atención de la sala y controlar la imagen que proyectas desde el estrado.

La comunicación física

Muchos oradores se sienten comodísimos de cuello para arriba; el problema está en el resto del cuerpo: unas piernas que se balancean indiscriminadamente, unas caderas que oscilan de forma inapropiada y unas manos con vida propia.

Ya desde principios de la década de 1970, cuando Julius Fast popularizó la idea en su libro *El lenguaje del cuerpo*, todo el mundo es consciente de que lo que uno hace con el cuerpo (la forma de sentarse, de estar de pie, de sonreír o de cruzar las piernas) refleja claramente lo que piensa y lo que siente.

Puesto que todo lo que haces dice algo sobre ti, conviene que recuerdes lo que deseas decir. Tener presente el mensaje que tratas de comunicar es mucho más importante que memorizar listas de lo que debes hacer y lo que no debes hacer en lo que respecta al lenguaje corporal.

Cuando un actor se siente realmente implicado en un papel y en lo que sucede en el escenario, pocas veces es consciente de cómo se comporta realmente su cuerpo. Si al acabar una función le pidiéramos que repitiera lo que ha hecho con las manos en un determinado momento, probablemente no podría. Eso sucede porque estaba «inmerso» en el papel, concentrado en las necesidades del personaje y en sus interacciones. Sus movimientos se producían de forma natural porque estaban al servicio de los objetivos del personaje en cada momento determinado.

Ese es el estado al que debes llegar. Las eternas listas de lo que se debe hacer y lo que no se debe hacer sólo consiguen frustrar a la gente y volverla más insegura; en otras palabras, tienen justo el efecto contrario al que persiguen. Cuando estés absolutamente abstraído en la comunicación con el público, será tu propio cuerpo el que deba encargarse de gran parte de sus movimientos.

Por desgracia, ese estado centrado, abstraído y relajado no se produce siempre de forma natural; no obstante, es posible cultivarlo. Para ello tendrás que comenzar examinando tus hábitos de comunicación física para determinar cuáles operan en tu favor y cuáles en tu contra.

Malos hábitos

Por mucho empeño que pongamos en eliminarlos o superarlos, todos tenemos hábitos y no pocos. Los hábitos son aquellas acciones que realizamos repetidamente, unas veces de forma consciente y otras no. Algunos sirven para engrasar la maquinaria de la interacción social y nos ayudan a ir por el mundo, como, por ejemplo, decir «perdone» cuando chocamos con alguien en el metro; otros, en cambio, tienen muy poco sentido, como morderse las uñas. Por cada siete hábitos útiles, hay ocho más que no llevan a ninguna parte.

En una ocasión, Sarah Bernhardt dijo: «Si se quiere ser natural, hay que evitar los constantes amaneramientos que suelen adoptar los actores creyendo que así complacen al público. Al final, acaban siendo simplemente malos hábitos». Aunque ella se refería a los gestos histriónicos que realizaban los actores de su época (ademanes grandilocuentes, expresiones faciales exageradas y pronunciaciones afectadas), podría haberse referido perfectamente a los oradores actuales. En muchas ocasiones, desarrollar una técnica efectiva como orador no consiste tanto en aprender nuevos hábitos como en deshacerse de los antiguos. Una vez te hayas librado de los amaneramientos que dificultan la claridad de la comunicación, sabrás lo que se siente al hablar y moverse con naturalidad y espontaneidad.

Échale un vistazo a tu estilo como orador. Recuerda un discurso que hayas pronunciado recientemente o dedica un instante a pronunciar (como si lo hicieras realmente ante el público) el fragmento inicial del discurso en el que estás trabajando actualmente. ¿Dirías que tu cuerpo actúa a tu favor o en tu contra?

Estará actuando a tu favor si tu estilo como orador te recuerda lo mejor de tu forma de hablar en privado, aunque a una escala algo mayor. Eso significa que si un amigo entrara en la habitación en la que estás ensayando, sentiría enseguida que está viendo tu verdadero «yo» (es decir, tu verdadero «yo» cuando hablas de forma apasionada sobre algo realmente emocionante o importante). Si parece que quien habla es otra persona, una versión demasiado tensa de tu verdadero «yo» o, simplemente, un impostor amanerado, ha llegado la hora de que te deshagas de los hábitos que se interponen en tu camino.

La mejor forma de analizar tu modo de utilizar el cuerpo y la voz es que te observes en vídeo. Si dispones de una cámara, graba un fragmento de cinco minutos de tu discurso. Ten en cuenta que todo el mundo se horroriza cuando se ve a sí mismo en un vídeo, de manera que intenta no juzgarte con excesiva severidad. No obstante, presta atención y trata de identificar qué características y hábitos te ayudan y cuáles te ponen trabas. Si no dispones de medios para grabarte en vídeo, pídele a un amigo de confianza que te observe y te dé una opinión sincera y específica acerca de tu voz y tu presencia física.

Movimientos dirigidos

En su famoso consejo a los actores ambulantes, el príncipe Hamlet les advirtió: «Y no cortéis mucho el aire con la mano, así; hacedlo todo con mesura». Es bastante fácil adivinar a qué se refería con «así»: unas manos que, por la magnitud de su actividad, parecen estar diciendo muchas cosas cuando en realidad no tienen nada que decir.

Cualquier movimiento que se derive de un hábito personal y no de un gesto voluntario pierde todo sentido. Y ten presente que el uso aleatorio de las manos es uno de los hábitos más insidiosos y vacíos que afectan a actores y oradores.

El primer paso a la hora de enfrentarte a la cuestión de las manos hiperactivas durante un discurso es que tengas plena conciencia de cuándo las mueves y por qué. Prueba este experimento: toma un fragmento de tu discurso y mueve las manos con entusiasmo mientras lo pronuncias, gesticulando en cada frase o en cada palabra. Después pronúncialo de nuevo moviendo las manos tan sólo cuando creas que debes hacerlo para aclarar algo. A continuación repite el fragmento pero sin mover las manos en absoluto. Finalmente, pronúncialo una vez más dejando que tus manos se muevan cuando y como quieran.

Explorar los extremos puede ayudarte a desarrollar la conciencia de cuánto es demasiado. Concéntrate en la cuestión de las manos como algo aislado hasta que seas capaz de dejar que se relajen y adopten una posición natural (sobre el atril, pegadas al cuerpo e incluso en los bolsillos, de vez en cuando) y sólo se muevan para llevar a cabo un gesto útil, como señalar un objeto, indicar lo grande o lo pequeño que es algo o encogerse de hombros ante lo absurdo de una situación. Con un poco de práctica, serás capaz de volver a concentrarte en el mensaje que debes comunicar al público y tus manos sabrán de forma natural lo que deben hacer.

Los movimientos aleatorios pueden afectar también a los pies; muchos presentadores cambian constantemente la pierna de apoyo sin ni siquiera darse cuenta. Se trata de un hábito que disipa la energía del orador en lugar de potenciarla y que, además, suele distraer al público. Utiliza los ensayos para aprender a sentirte cómodo estando de pie, con los pies bien plantados en el suelo.

Si descubres que hay ocasiones en las que repetidamente no puedes evitar cambiar la pierna de apoyo, tal vez tengas un exceso de energía del que necesitas deshacerte apropiadamente. En lugar de balancearte de un lado para otro, intenta realizar un movimiento más decidido y enérgico, como salir de detrás del atril para explicar una historia particularmente íntima o bajar del estrado para entrar en contacto más directo con los oyentes del fondo de la sala.

Libertad de movimientos

Mientras que muchos oradores tienen el defecto de actuar demasiado con el cuerpo, otros sufren el problema opuesto. Hamlet ofrece algunos consejos también en este sentido al recomendar a los actores: «Tampoco seáis muy tibios; dejad que os guíe la prudencia».

En otras palabras, está bien que te muevas en el estrado, lo cual, de hecho, puede ser un gran recurso para retener la atención del público, siempre y cuando lo hagas con un propósito definido. Si tienes tendencia a quedarte pegado al atril, en los ensayos oblígate a separarte de él. Nunca aprenderás a romper la burbuja en la que te has metido hasta que experimentes la sensación opuesta. Paséate, finge ser Ophra Winfrey acercándose al público para entrar en contacto directo con la multitud. O imagínate que eres un predicador explosivo que anima a sus oyentes gesticulando enérgicamente. No te preocupes por si te excedes; siempre estás a tiempo de contenerte. Al permitirte utilizar el cuerpo de forma poco habitual, experimentarás lo que significa estar físicamente libre y no tener miedo de cometer un error. Los actores denominan esta libertad de movimiento sin timidez «estar en tu cuerpo», y los oradores que la poseen consiguen ganarse siempre la confianza de sus oyentes.

La postura

Los actores prestan mucha atención a desarrollar una postura «erguida», que implica mantener la espalda recta y los pies bien plantados en el suelo, con la cabeza flotando cómodamente sobre una columna en perfecta alineación. El motivo es que la gente suele asociar una postura erguida con los ganadores; encorvarse es de perdedores. Fíjate en cómo Jason Alexander interpreta a George Costanza en la serie *Seinfeld*: hombros encorvados, la columna doblada sobre la cintura y una constante oscilación de pierna a pierna; todos esos signos revelan que el personaje es un perdedor. Ahora piensa en Denzel Washington en *Tiempos de gloria*, *Malcolm X* o cualquiera de los papeles que ha representado. Tiene la espalda erguida y un porte casi real. Tanto si representa a un esclavo, como a un príncipe o al líder de un movimiento revolucionario, Denzel Washington transmite nobleza, parece una persona cuya influencia va más allá de su posición social. Si quieres que la gente te vea como alguien cuya autoridad se debe respetar, la clave está en la postura.

He aquí una forma rápida y sencilla de experimentar una postura autoritaria y a la vez cómoda. Con los pies ligeramente separados, levántate sobre las puntas y mantén la posición mientras cuentas hasta tres. Entonces, manteniendo la cabeza justo a la altura a la que está, vuelve a bajar los pies hasta tocar con los talones en el suelo. (Somos conscientes de que esto no es estrictamente posible, pero ¡da un salto con la imaginación e inténtalo!) Después respira profundamente y relaja el cuello y los hombros mientras lo haces.

Lo que has experimentado es lo que se siente al adoptar una cómoda posición erguida, una postura de poder para cualquier orador. Mantén esa posición y pronuncia un fragmento de tu discurso utilizando tu nueva altura, que te proporcionará mayor autoridad.

Expresiones faciales

La mayoría de oradores no son conscientes del número de veces que fruncen el ceño y tensan los labios incluso cuando transmiten los mensajes más sinceros y entusiastas. Tal como Julieta dice a su doncella: «Estás afeando la música de las gratas nuevas, haciéndomela escuchar con tan hosco semblante».

La clave para desarrollar una expresividad voluntaria está simplemente en asegurarse de que lo que uno hace con los músculos faciales concuerda en todo momento con sus palabras, el tono que emplea y el punto de vista general del mensaje. Eso no significa que tengas que adoptar una sonrisa falsa, ni abrir los ojos como platos ante una sorpresa, ni hacer nada que parezca postizo. En la mayoría de ocasiones se trata de eliminar los obstáculos inconscientes que arruinan tu capacidad natural de comunicarte de forma expresiva.

Echa otro vistazo a la cinta de vídeo que has grabado o pídele a un amigo que te dé su opinión. Si te parece que tu expresión está «bloqueada» cuando comunicas algo positivo, trata de levantar las cejas mientras ensayas. Este simple cambio supone una diferencia abismal, ya que de ese modo darás la impresión (probablemente acertada) de ser una persona abierta y llena de empatía en lugar de alguien severo y categórico.

Si tu problema es el opuesto (si tienes una sonrisa inapropiada en la boca o un movimiento estilo Groucho Marx en las cejas aun cuando estés comunicando malas noticias), lo que necesitas es aprender a relajar los músculos faciales. La próxima vez que ensayes, imagina que justo antes de empezar a hablar acabas de despertar de un sueño profundo. De ese modo no tendrás energía extra para gastar en movimientos faciales excesivos. Concéntrate en transmitir tu mensaje de la forma más clara y directa posible. Al realizar este ejercicio, puedes observar que tus rasgos se suavizan, cosa que constituye un claro signo de que estás aflojando la tensión facial.

La respuesta está en los ojos

Si has estado trabajando con el ejercicio de empezar y parar (página 99), deberías estar ya familiarizado con el importantísimo papel que tiene el contacto visual a la hora de trasladar tus palabras al público. Probablemente eso no sea nada nuevo para ti: en todo lo que leas u oigas sobre cómo hablar en público, te aconsejarán que mires a los oyentes a los ojos.

Pero, por mucho que digan, el contacto visual se confunde demasiado a menudo con mantener la cabeza erguida y realizar barridos periódicos con la vista por el público. El verdadero *contacto* visual, sin embargo, implica lograr una *conexión* con los ojos a los que miras. Eso indica a tus oyentes que les estás prestando atención y que te preocupas por lo que piensan. Si un actor no consigue establecer esa conexión fundamental con el resto de actores de una obra o de una película, se convierte rápidamente en un peligro para la taquilla, y del mismo modo, un orador que no logre esa conexión con el público corre el riesgo de convertirse en un orador monótono y poco comunicativo.

El objetivo del contacto visual es lograr una comunión íntima con el público. Cada vez que miras a alguien, estás manteniendo una breve conversación con esa persona, un intercambio de pensamientos y sensaciones. Como probablemente los miembros del público no tendrán ninguna línea de texto en su «escena», su única manera de comunicarse contigo será mediante los ojos. Así pues, debes escuchar lo que te digan.

Los buenos oradores están orientados hacia fuera, o lo que es lo mismo, se preocupan más por lo que les sucede a sus oyentes que por lo que les sucede a ellos mismos. Esa es una tarea compleja, especialmente cuando, admitámoslo, se es el centro de atención. Sin embargo, aprender a escuchar de verdad y reflejar lo que tus ojos «oyen» no sólo te ayudará a mejorar como orador, sino que te liberará de la timidez que provoca la sensación errónea de estar solo ahí arriba.

El espejo

Los actores disponen de una gran herramienta de trabajo que utilizan para salir de su mente y entrar en la de sus compañeros de escena. Se conoce como «el ejercicio del espejo» y es una forma maravillosa de aumentar la sensibilidad respecto de las necesidades del público. A continuación te explicamos cómo puedes utilizarlo.

Recluta a un amigo sin prejuicios y sentaos el uno frente al otro, ya sea en el suelo o en sillas. Ajustad vuestras respectivas posiciones para convertiros cada uno en el reflejo del otro. Una vez hayáis encontrado una postura que os resulte cómoda a los dos, relajaos hasta eliminar cualquier movimiento superfluo.

El siguiente paso es el aspecto más crucial del ejercicio: Establece contacto visual con la otra persona y no lo pierdas mientras dure el ejercicio. Al principio puede resultarte incómodo, por lo que la fuerza de voluntad es del todo esencial.

A partir de este momento, cualquier movimiento que hagáis debe ser como si cada uno fuera el reflejo en un espejo del otro. Si uno de los dos ha de rascarse, ambos deberéis realizar el movimiento al mismo tiempo y exactamente del mismo modo. Para ello será necesario que todos los movimientos se efectúen a cámara lenta.

Una vez hayáis establecido contacto visual, tu amigo debe comenzar un movimiento abstracto muy despacio, intentando que sea aún más lento y delicado de lo que parece necesario. Sin perder el contacto visual, sigue exactamente sus movimientos. Intenta incluso reflejar el «espíritu» de lo que ves. Se permiten sonrisillas, pero el espejo debe reflejarlas. Lo ideal sería que alguien que os viera no supiera decir cuál de los dos inicia cada movimiento.

Al cabo de unos cinco minutos de ejercicio, puedes asumir la dirección del movimiento. No te olvides de hacer siempre movimientos lentos y suaves para que tu compañero pueda seguirte con precisión. Transcurridos otros cinco minutos, interrumpe el ejercicio del espejo y considera las siguientes preguntas:

¿Te ha resultado sencillo mantener el contacto visual? ¿Por qué sí o por qué no?

¿Preferías seguir a tu compañero o tomar la iniciativa? ¿Por qué?

¿Qué nivel de éxito crees que has logrado en el ejercicio?

¿Qué grado de inseguridad sentías?

¿Te resultaba más sencillo el ejercicio a medida que avanzaba?

Resulta muy útil repetir este ejercicio, ya sea ahora o cuando encuentres un cómplice dispuesto a colaborar.

Como probablemente ya habrás adivinado, el ejercicio del espejo es más una herramienta de preparación que un modelo de relación con el público durante el discurso: si te pusieras a imitar los movimientos de tus oyentes sería bastante raro, por decirlo de un modo suave. Sin embargo, un poco de experiencia en este ejercicio te ayudará a saber hasta dónde puedes llegar a la hora de conectar con otra persona, hasta qué punto eres consciente de sus pensamientos no expresados, sus preguntas y sus necesidades. Una vez hayas logrado alcanzar ese nivel de intimidad con tu compañero de espejo, te debería resultar mucho más sencillo relacionarte con el público de una forma más abierta, empática y comunicativa.

La comunicación verbal

Cuando le preguntaron sobre la experiencia de preparar el papel de Otello, Sir Lawrence Olivier confesó: «Me parecía que no tenía la voz apropiada». Se trata de una afirmación sorprendente viniendo de un actor aclamado por todo el mundo por la potencia y la riqueza de su voz, y es una prueba de que incluso los intérpretes más dotados experimentan cierta inseguridad al oírse a sí mismos.

«Detesto mi voz» es una frase común entre los oradores, a la par que triste. Su voz forma parte de su persona como su aspecto o su forma de sentir y de pensar. Se trata de una expresión de su individualidad, conformada no sólo por la «suerte» biológica, sino también por años de reaccionar ante su entorno social. De hecho, nuestra voz está tan estrechamente vinculada a nuestra absoluta particularidad como seres humanos que los registros de voz se utilizan de forma muy fiable como identificadores, igual que las huellas dactilares.

Una parte de tu labor para llegar a ser un orador efectivo consistirá en hacer las paces con tu instrumento vocal. Si eres especialmente propenso a identificar los defectos reales o imaginarios de tu voz, no desesperes. Los hábitos vocales son tan fáciles de corregir como los físicos; tan sólo debes ser un poco crítico contigo mismo y estar dispuesto a practicar los hábitos que definen una comunicación verbal efectiva y confiada.

Prestar oído

Para evaluar correctamente tu exposición necesitas oírte a ti mismo tal como te oyen los demás. En el siguiente ejercicio actuarás a la vez como comunicador y destinatario de la comunicación.

Graba en una cinta un fragmento de cinco minutos de discurso, tal como te gustaría pronunciarlo cuando te encuentres ante el público. Después escucha la grabación imaginando que quien pronuncia el discurso es alguien a quien no conoces, y limítate a escuchar lo que esa persona tiene que decir.

Cuando hayas terminado de escuchar, anota tus respuestas a las siguientes preguntas, escuchando de nuevo fragmentos de la cinta si fuera necesario:

¿Qué parte del discurso te ha parecido que sonaba mejor? ¿Por qué?

¿Qué parte te ha parecido más importante para el orador? ¿Por qué?

¿Qué ha sido lo principal que ha dicho el orador?

¿Te has sentido persuadido a compartir el punto de vista del orador? ¿Por qué sí o por qué no?

¿Ha habido alguna parte que no hayas comprendido? Si la respuesta es sí, ¿qué crees que se ha interpuesto entre el orador y tú?

¿Cuáles de los siguientes adjetivos te parece que describen al orador? Sé sincero.

Lógico	Entusiasta	Enérgico	Comprometido
Autoritario	Aburrido	Apático	Alegre
Tímido	Contundente	Amable	Poco sincero
Inteligente	Incoherente	Sincero	Paternalista
Monótono	Carismático	Tenso	Directo

Si has respondido a las preguntas exactamente como desearías que lo hicieran tus oyentes refiriéndose a ti, puedes saltarte el resto del ejercicio.

En caso contrario, fíjate de nuevo en tus respuestas y decide qué aspectos de tu comunicación vocal te gustaría mejorar.

Lo cierto es que tratar de corregir problemas vocales entraña un serio peligro: que tu forma de hablar acabe siendo afectada y poco natural por querer seguir demasiadas reglas.

Recuerda siempre que hay una regla que prevalece sobre todas las demás: debes hablar en todo momento en beneficio de quienes te escuchen. Incluso mientras estás concentrado en las cuestiones específicas de tu exposición, debes tener siempre muy presente la necesidad de hacer llegar tu mensaje a la audiencia y lograr los objetivos generales de tu discurso. Hecha esta advertencia, te presentamos una serie de consejos para solventar algunas dificultades vocales comunes con las que puedes encontrarte.

Problemas relacionados con la voz
FALTA DE PROYECCIÓN

Los mensajes contundentes requieren ser dichos con contundencia, lo cual significa que has de asegurarte de que todos y cada una de las personas que están en la sala te oyen, te comprenden y te creen. A un orador que no posea la capacidad de proyectarse le costará mucho trabajo lograr que el público le preste atención.

El simple hecho de hablar más fuerte reafirmará físicamente tu presencia y atraerá la atención de la sala. A su vez, te ayudará a involucrarte más con lo que estés diciendo e incluso a reducir los nervios, porque cuando actúes con fuerza te sentirás fuerte. Aun cuando hables por un micrófono, debes mantener alta tu energía vocal. Si te preocupa hablar demasiado fuerte, baja un punto el volumen del micrófono y deja que sea tu voz la que imprima la potencia.

Si proyectar tu voz te supone un problema, prueba este truco mental: en lugar de imaginarte a ti mismo en el salón de tu casa, en una sala de conferencias de tamaño mediano o incluso en el lugar donde vas a pronunciar verdaderamente el discurso, imagina que te encuentras en un anfiteatro griego. (Recuerda que por aquel entonces aún no tenían micrófonos.) Asegúrate de imprimir a tu mensaje la energía suficiente para hacerlo llegar a los oídos del plebeyo que se encuentre más alejado.

La mayoría de personas creen que están hablando muy fuerte cuando en realidad no es así (todo suena distinto desde dentro de la propia cabeza), de modo que acostúmbrate a subir el volumen por encima de lo que en un primer momento te parecería lo normal.

MAL CONTROL DE LA RESPIRACIÓN

Con pequeños cambios en la respiración (pasando de una respiración superficial y pectoral a respirar profundamente con el diafragma) se pueden lograr importantes mejoras en la comunicación oral, incluido un aumento del tono de voz y una mayor facilidad para conservar las energías durante un discurso largo.

La mayoría de oradores novatos no respiran lo bastante a menudo mientras hablan. Temen robarle tiempo al público con sus propias necesidades fisiológicas, o simplemente se olvidan de respirar por culpa de los nervios. Pero el público sabe que el orador es un ser humano que tiene las necesidades humanas típicas, de modo que no ha de darte vergüenza coger un poco de aire cada vez que lo necesites.

Cuando te detengas para respirar, asegúrate de que te resulta productivo o, en otras palabras, de que la respiración nace en el diafragma (el músculo del abdomen que se expande y se contrae cuando respiramos) y no en el pecho. Si nunca has experimentado lo que se siente al respirar profundamente con el diafragma, realiza el siguiente ejercicio.

Inspira profundamente y luego saca todo el aire. Observa lo que sucede al inspirar: si se te contrae el estómago o se te levantan los hombros, eres una víctima del estilo militar de respirar encogiendo la barriga. Se trata de una forma de entrada de oxígeno muy poco efectiva que tiende a provocar más tensión de la que alivia. Inténtalo de nuevo, pero en esta ocasión coloca la mano encima del estómago y deja que tu abdomen se expanda mientras te llenas de aire y se contraiga a medida que lo expulsas; tus hombros no deberían moverse en absoluto.

La expansión del estómago al inspirar y su contracción al espirar es un claro signo de que estás respirando eficazmente con el diafragma. Aunque esta es la forma más natural de respirar (así es como lo hacemos mientras dormimos), muchos de nosotros nos hemos visto socialmente condicionados a hacerlo del otro modo. En consecuencia, es posible que hayas de practicar este método hasta que se convierta en algo natural para ti. Una vez domines la técnica de la respiración profunda, no tardarás en descubrir que eres capaz de hablar de forma más enérgica durante más tiempo.

PAUTA DE INFLEXIÓN DECRECIENTE

Es la tendencia a dejar que la energía de una oración decaiga en su parte final. Si tus frases comienzan con fuerza pero van perdiendo volumen y claridad antes de que hayas expuesto la idea completa, eso significa que tú, como millones de personas, eres una víctima de la pauta de inflexión decreciente.

Escucha de nuevo la cinta. Si detectas esta pauta en algún lugar, graba de nuevo el fragmento del discurso y en esta ocasión concéntrate en hacer que la última palabra de cada frase sea la más importante. Los presentadores de noticias utilizan esta técnica constantemente para evitar que los espectadores desconecten entre noticia y noticia. Se trata de un gran truco para mantener la energía a lo largo de un mismo pensamiento y, además, contrarresta el peor efecto de la pauta de inflexión decreciente: la sensación del público de que el orador no está particularmente interesado en lo que dice.

Poner el énfasis en la última palabra te parecerá forzado al principio, pero recuerda que se trata sólo de un ejercicio. Lo importante es que te acostumbres a preocuparte porque los oyentes reciban por completo lo que tienes que decirles. El simple hecho de prestar atención a tu tendencia a la pauta de inflexión decreciente es muy importante para tu presentación vocal.

PAUTA DE INFLEXIÓN CRECIENTE

Como ya habrás adivinado, esta pauta es el efecto opuesto a la de inflexión decreciente. Significa que elevas el tono de voz al final de cada frase, convirtiendo incluso las afirmaciones más contundentes en preguntas. ¿Te das cuenta de lo extraño que resulta?

Se trata de una pauta al hablar que indica inseguridad y necesidad de afirmación, como si el orador estuviera pidiendo constantemente la aprobación del público. («¿Lo comprenden? ¿Saben a qué me refiero?») En Estados Unidos es un hábito particularmente desagradable de los miembros de la generación X, y poco a poco se va extendiendo también en el ámbito empresarial. Como puedes imaginar, la pauta de inflexión creciente merma la autoridad y socava la credibilidad del orador. Si mientras escuchabas la cinta has detectado esta pauta en tu forma de hablar, repite el discurso intentando pronunciar tus afirmaciones como lo que son: declaraciones contundentes y definitivas. Sin embargo, si crees que algunos pasajes del discurso requieren algún tipo de reafirmación por parte del público, no hay ningún problema: pronuncia la afirmación previa con energía y a continuación formula la pregunta: «Los pequeños robos crecen cada vez más en el barrio. ¿Lo han notado también ustedes?» No hay nada malo en hacer preguntas, siempre y cuando sea eso lo que se pretende; lo que hay que evitar es la insipidez de las preguntas involuntarias.

HABLAR DEMASIADO RÁPIDO
O NO VOCALIZAR

Si tus palabras pasan demasiado deprisa, el público no tendrá la oportunidad de comprender todo su valor; lo mismo ocurre si no hablas claro. Y ni que decir tiene que tu principal preocupación debe ser lograr que tus oyentes comprendan todo el valor de tus palabras.

Si sufres cualquiera de esos problemas, existe un ejercicio muy imaginativo que te puede resultar útil: Imagina que tus oyentes son personas muy inteligentes pero que no dominan bien tu idioma, de modo que habrás de asegurarte de que comprenden todas tus palabras, pero sin parecer paternalista. Grábate de nuevo en una cinta y ve si hay alguna diferencia.

También puedes practicar el hábito de una vocalización clara y precisa utilizando trabalenguas. Repite uno veinte veces (respirando cuando lo necesites), cada vez un poco más rápido. Concéntrate en vocalizar bien y en exagerar las consonantes. Si acostumbras a los músculos de la boca a ser un poco más activos de lo normal, descubrirás que te es más fácil decir cualquier cosa. Este ejercicio también funciona muy bien si lo realizas con una de las frases de tu discurso: elige una en la que suelas engancharte y utilízala como trabalenguas. Exagera los sonidos a medida que los pronuncies y repítela cada vez más rápido.

PRONUNCIACIÓN AFECTADA

Si tu voz te ha parecido más forzada o tensa de lo que habrías deseado, probablemente necesites adoptar un estilo más simple, más familiar. Sigue el consejo de Aristóteles: «Piensa como un hombre sabio, pero habla como una persona corriente». Intenta emplear un vocabulario más sencillo, y construye frases más cortas y con una lógica más clara. Imagina que estás hablando con un buen amigo, con alguien a quien no necesitas impresionar. Grábate de nuevo teniendo eso presente y probablemente detectes una diferencia importante en el grado de naturalidad y despreocupación de tu tono de voz.

PRONUNCIACIÓN MONÓTONA
O «DE METRÓNOMO»

Si tu voz te ha parecido monótona o aburrida aun cuando te emocionabas con lo que estabas diciendo, es probable que no sepas aprovechar las herramientas de variación de tono y tempo. El tono, por supuesto, se refiere a lo agudo o lo grave de la voz; el tempo hace referencia a lo rápido o lo lento que pronuncies las palabras. Como ya apuntamos en el capítulo 4, un cambio de tono es una buena manera de atraer la atención del público ante una palabra clave o una nueva idea. Asimismo, un cambio de ritmo puede ayudar a que la audiencia perciba cuándo el discurso se acerca a un clímax o cuándo los conduce por una idea particularmente difícil. Si no estás acostumbrado a pensar en ese tipo de cosas, prueba a hacer un pequeño experimento.

Lee en voz alta el siguiente fragmento de un discurso de John F. Kennedy:

Veo pocas cosas más importantes para el futuro de nuestro país y de nuestra civilización que el reconocimiento completo del lugar del artista. Si el arte debe nutrir las raíces de nuestra cultura, la sociedad debe dejar libre al artista para que pueda seguir su visión adondequiera que lo lleve.

En una sociedad libre el arte no es un arma, ni pertenece a la esfera de la polémica o la ideología. Los artistas no son ingenieros del alma. [...]

El mayor deber del escritor, del compositor, del artista, es mantenerse fiel a sí mismo y no preocuparse por las consecuencias.

A continuación subraya veinte palabras de este fragmento que consideres importantes y léelo de nuevo en voz alta, resaltándolas con un cambio de tono. Puesto que muchos oradores tienen problemas a la hora de distinguir entre un cambio de tono y un cambio de volumen, es recomendable que te grabes para asegurarte de que realmente logras la variación de tono (en otras palabras, que alcanzas diferentes notas de la escala musical al enfatizar las palabras clave). Una vez creas que ya has oído qué variación de tono es capaz de realizar tu voz, haz el mismo ejercicio con el fragmento inicial de tu discurso. Para lograr una variación de tono máxima, y si te atreves, intenta cantar el fragmento en lugar de leerlo. No te preocupes por si tiene mucho sentido; se trata tan sólo de disponer de la mayor libertad vocal posible. Repite el fragmento varias veces y, poco a poco, ve hablando de forma cada vez más normal, aunque sin dejar de utilizar las variaciones de tono para dar color a tus ideas. Graba de nuevo el discurso y escúchalo para ver si notas la diferencia.

La variedad de tempo se puede lograr de un modo muy similar. Lee una vez más las palabras de JFK en voz alta. Tu tarea consiste en pronunciar el texto completo resaltando los puntos principales, primero en cuarenta y cinco segundos, luego en treinta y finalmente en veinte. Una vez hayas probado las tres variaciones, dedica unos instantes a reflexionar sobre la forma en que los cambios de ritmo han afectado al tono general de tu comunicación. ¿Ha aumentado la perentoriedad del mensaje al acelerar el tempo? ¿O tal vez eso ha eclipsado los puntos importantes? Echa un vistazo al fragmento de tu discurso que has utilizado antes y detecta un momento en el que sería apropiado acelerar el tempo y otro en el que convendría ralentizarlo. Lee de nuevo ese fragmento y grábate para ver en qué momentos el hecho de añadir variedad al tempo aporta fuerza al mensaje.

Una vez hayas experimentado con las variaciones deliberadas de tono y tempo lo suficiente como para incorporarlas a tu mensaje, al volver a ensayar probablemente te percates de que ya lo haces de forma natural.

PRONUNCIACIÓN EXCESIVAMENTE ENFÁTICA

Mientras que algunos oradores proyectan inconscientemente una falta de entusiasmo en su mensaje, otros pecan del problema opuesto: todo lo que dicen suena demasiado importante. Los significados generales se pierden porque la pronunciación da demasiada fuerza a cada palabra. Tal como pasa con cualquier cadencia repetitiva, al cabo de poco tiempo esta forma de hablar resulta monótona para el público.

Si sospechas que tienes este problema, puede serte útil experimentar con los ejercicios de tono y tempo que acabamos de mencionar, aunque probablemente deberás aplicarlos de forma inversa; en lugar de enfatizar las palabras subrayadas, prueba (mediante sutiles cambios de tono, tempo y volumen) a quitarles énfasis a las que no lo están.

En algunos casos, el exceso de énfasis en la pronunciación se produce cuando el orador pretende hacer entrar a la fuerza las ideas en la cabeza de sus oyentes, sirviéndose del volumen para darles más énfasis. («En una sociedad LIBRE, el ARTE no es un ARMA, NI PERTENECE a la ESFERA de la POLÉMICA o la IDEOLOGÍA.») Si tiendes a hacer eso, imagina que puedes introducir suavemente las ideas importantes en la cabeza de tus oyentes simplemente cambiando de tono. Ese cambio sutil les dará la posibilidad de considerar y responder interiormente a tus palabras en lugar de verse avasallados por una serie de martillazos verbales.

FALTA DE RESONANCIA

Si opinas que tu voz es estridente, nasal o demasiado fina, tal vez debas cambiar el lugar del que surge. La mejor forma de contrarrestar esos efectos es abriendo la garganta mientras hablas, tal como lo hacen los cantantes cuando cantan. Todo el mundo sabe abrir la garganta de forma instintiva; lo hacemos siempre que vamos al médico y éste nos hace decir: «aaah». Para aprender a abrir la garganta al hablar en público, te bastará con practicar el bostezar mientras hablas.

Di esta frase en voz alta: «Mi mamá me mima y yo mimo a mi mamá».

Luego finge un bostezo (o bosteza de verdad si puedes hacerlo). Repite la frase en voz alta, comenzando a pronunciarla cuando aún estés bostezando.

¿Dirías que tus palabras fueron más profundas y resonaron más incluso después de dejar de bostezar? Si tu respuesta es afirmativa, el motivo es que el aire pasó por entre tus cuerdas vocales sin encontrar impedimentos. Repite el ejercicio cinco veces.

Ahora pronuncia la frase de nuevo varias veces sin bostezar, pero tratando de mantener esa sensación de «garganta abierta». Es posible que notes que tienes que abrir la boca un poco más de lo que acostumbrabas a hacerlo antes. De entrada puedes sentirte extraño, pero verás que pronto tu voz sale con más libertad y más energía.

LOS TITUBEOS

Si tienes tendencia a perder el hilo o nota que te pasas el rato titubeando, es posible que tengas miedo al silencio consciente o inconscientemente. En general, la mente de la persona que oye necesita más tiempo para procesar un discurso que la del orador para crearlo, de modo que tómatelo con calma. Deja que tus puntos de vista calen hondo. En lugar de llenar las pausas con ruidos innecesarios o divagaciones, respira calmadamente y dedica unos instantes a conectar con el público. Eso te dará tiempo para pensar en lo que quieres decir a continuación y te ayudará a dar la impresión de que controlas la situación y no tienes ni prisas ni presiones. También servirá para que el público entienda dónde termina una idea y dónde comienza la siguiente. Además, llenando las pausas con un elemento útil (es decir, manteniendo una conexión activa con la audiencia mediante el silencio) no correrás el riesgo de perder su atención. Si necesitas practicar más el concepto de llenar pausas, vuelve a la página 95 y pon de nuevo en práctica el ejercicio de empezar y parar.

Comunicarse con confianza

Estos ejercicios deberían ayudarte a confiar en tu capacidad de comunicarte bien. Si aún no estás satisfecho con los progresos realizados, resérvate algo de tiempo en un futuro próximo para volver a practicar algunos de estos ejercicios. Si tienes siempre en mente que todo lo que digas y hagas debe ir enfocado a conseguir tu objetivo y que, por lo tanto, tus oyentes han de comprender a la perfección todas tus ideas, lo único que necesitarás será un poco de práctica.

Cuando te escuches en la cinta, no dejes de preguntarte qué partes te suenan mejor, es decir, qué partes comunican el mensaje con más energía. Es en esas en las que debes concentrarte.

Pregúntate qué sientes al hablar del modo en que más te gusta oírte. Al principio puede parecerte algo incómodo o poco natural, pero con un poco de práctica podrás asimilar una serie de nuevos hábitos vocales que terminarán por resultarte igual de naturales y mucho más poderosos que tu forma habitual de hablar. Se trata de una práctica habitual entre los actores.

La imagen de un discurso bien hecho

Ahora que ya has dedicado algo de tiempo a deconstruir tu presencia física y vocal, ha llegado la hora de combinarlo todo. Lo que el público percibirá a lo largo de tu discurso no serán sólo tus palabras, tu lenguaje corporal y tu forma de pronunciar el mensaje, sino también una imagen general de quien eres. Desde el momento en que subas al escenario, todo lo que digas o hagas contribuirá a la imagen general que proyectes desde detrás del atril.

Si bien es posible que la imagen no lo sea todo, lo cierto es que constituye una herramienta importante en la búsqueda de tu objetivo, independientemente de cuál sea éste. Puestos a decir obviedades, los oradores que proyectan una imagen agradable, sincera y experta tienen muchas más posibilidades de ganarse la confianza del público que los que se muestran tímidos, esquivos o condescendientes. De hecho, la imagen que uno proyecta como orador es tan significativa que con frecuencia el público la recordará durante mucho más tiempo que las palabras concretas que haya expuesto.

En este punto es importante saber diferenciar entre imagen y personalidad; a pesar de las similitudes que existen entre ambas, no son esferas intercambiables, y eso puede resultar útil a aquellas personas que se definen a sí mismas como «tímidas» en la vida real, pero que quieren mostrarse extrovertidas y confiadas en el escenario. Este fenómeno se produce constantemente en el mundo de los actores. Por ejemplo, Robert De Niro, famoso por su carácter introvertido, no tiene ningún problema a la hora de proyectar una imagen sólida y enérgica en la gran pantalla. Eso es posible porque, mientras que la personalidad abarca todo el complejo de características emocionales y de comportamiento de una persona, la imagen puede crearse conscientemente mediante la selección y presentación de rasgos o características particulares. Cuando tiene que crear un papel extrovertido, De Niro recurre a facetas de sí mismo que pueden quedar ocultas en su relación diaria con amigos, familiares, periodistas y público en general.

En lugar de asociar la imagen a la persona que eres y a lo que sientes, te resultaría mucho más útil considerarla en términos del papel que interpretas en un momento concreto. En otras palabras, ¿cómo deseas que te vea el público? ¿Como un motivador, un orador de verdades irrefutables, un maestro, un experto objetivo, un iluminado o un amigo? La imagen que proyectes estará inextricablemente ligada al papel que hayas elegido. Si representas el papel del orador que inspira a quien le oye, lo más probable es que te encuentres subiendo apresuradamente al estrado, ganándote a la audiencia con una amplia sonrisa desde el primer momento de contacto y proyectando la imagen de una persona que no puede esperar a compartir algo que le provoca una gran emoción. En cambio, es probable que ese comportamiento sea inapropiado si desempeñas el papel del orador de verdades irrefutables, que debe convencer al público de la dura realidad que suponen los recortes de presupuesto y los despidos de personal. En ese caso tal vez te acerques al estrado con la dignidad de quien tiene una misión que cumplir, y tu contacto visual sugiera que comprendes y compartes el dolor que tu mensaje va a provocar en el público, proyectando la imagen de alguien que se preocupa lo bastante por ellos como para decirles la verdad.

Pensar un poco en el papel que desempeñas y en la imagen que proyectas no te convertirá en un farsante; simplemente te permitirá controlar las variables de la impresión que causas y asegurarte de que eres consecuente con el mensaje que transmites. Sólo si no logras comprometerte con el papel que decidas desempeñar (en otras palabras, si te conviertes en un mal actor que no cree en lo que está comunicando) correrás el riesgo de crear una relación falsa con el público.

Cultiva tu imagen

Existe una gran diferencia entre la imagen que tenemos de nosotros mismos y la que ve el público. Todos tendemos a ser más conscientes que quienes nos rodean de nuestros propios defectos y peculiaridades. Si piensas que eres demasiado bajito para imponer respeto o demasiado joven para proyectar autoridad o que tienes una voz demasiado grave para atraer la atención del público, te resultará fácil desanimarte. Pero, ¿dónde estarían Napoleón, Juana de Arco o Louis Armstrong si se hubieran dejado vencer por esas nimiedades?

No existe ningún prototipo de «orador perfecto». Existen diversos tipos de oradores que atraen a distintos tipos de público por diferentes motivos. Por esa razón, no debes intentar serlo todo para todo el mundo. Sólo tienes que fijarte en la carrera profesional de alguien como Rosie O'Donnell. Ella misma es la primera en admitir que es una actriz con una gama de registros limitada. Papel tras papel (desde *Algo para recordar* y *Ellas dan el golpe* hasta su intervención en el *Grease* de Broadway) se interpreta básicamente a sí misma, y lo hace realmente bien. De hecho, no sólo convirtió las burlas sobre su imagen de chica gruesa de aspecto vulgar en una exitosa carrera cinematográfica, sino que también se convirtió en uno de los rostros más populares de las tertulias televisivas. Rosie conoce un secreto que todos haríamos bien en recordar: a la audiencia le gusta la gente que se siente cómoda siendo ella misma en público y que sabe sacarle partido a ser quien realmente es.

Pero, ¿qué sucede si tú no te sientes muy cómodo con el personaje público que proyectas? No te desanimes: la imagen del buen orador es algo que se puede cultivar. Como en todo lo que hacemos, son los hábitos lo que nos lleva a proyectar determinados aspectos de nosotros mismos. Por lo tanto, si quieres aprender a proyectar nuevas cualidades, deberás practicar nuevos hábitos.

Una manera de hacerlo es dando forma a los comportamientos deseados. Los actores experimentados saben que la observación y la imitación son herramientas poderosas a la hora de proyectar la personalidad. El propio Lawrence Olivier confesó haber copiado «sin ningún tipo de vergüenza» cualidades de colegas a quienes admiraba. Así pues, dedica algo de tiempo a identificar las cualidades y los hábitos de oradores que te gusten (compañeros de trabajo, personalidades de la radio y la televisión, políticos, quien sea) y luego trata de incorporar esas características a tu forma de pronunciar discursos. Al principio puedes sentirte un poco extraño, pero cuanto más trabajes en esos hábitos, más naturales te parecerán. Intenta no rechazar nada sin más. ¿Cómo sabrás que no forma parte de tu manera de ser si no lo pruebas?

Esplendor en el vestir

En el teatro profesional, los actores y los diseñadores de vestuario suelen trabajar juntos para lograr el aspecto que mejor encaje con el personaje. Por supuesto, en el campo de la oratoria tú serás orador y diseñador al mismo tiempo (algo que debería reducir drásticamente el número de ataques de diva que vayas a sufrir en el camerino).

Encontrar el aspecto apropiado para el papel que has de desempeñar es un factor importante a la hora de proyectar una imagen de buen orador, por lo que merece que le prestes atención. Si bien es cierto que la ropa no hace al hombre, o a la mujer, sí dice mucho de quién la lleva, de manera que, ¿qué deseas decirle al público?

En la mayoría de ocasiones en las que hayas de pronunciar un discurso en el mundo de los negocios, querrás decirles que eres un profesional competente que comprende la importancia de la ocasión. Eso implicará llevar ropa de trabajo (probablemente un traje) que te quede bien, esté limpia y bien planchada y refleje la moda del momento. Sin embargo, y aunque la ropa debe ser elegante, es importante que no te eclipse a ti. Si tu público se acuerda más de tu ropa que de tu mensaje, habrás elegido un atuendo inapropiado. Para proyectar confianza, es muy importante que te guste tu aspecto y que te sientas cómodo con la ropa que llevas. Llevar unos zapatos nuevos carísimos con un tacón de quince centímetros que no te dejen ni caminar no te ayudará a potenciar tu mensaje, por muy *haute couture* que sea el diseñador. Y lo más probable es que una blusa tan apretada que te corte el riego sanguíneo al cerebro suponga una distracción, tanto para ti como para el público.

De modo que utiliza el sentido común. La regla general reza que debes adoptar un aspecto similar al del público, sólo que un poco mejor. Si dudas sobre lo que debes llevar, decántate siempre por la opción más conservadora: nadie te culpará por llevar traje y corbata cuando habría bastado con unos pantalones y una chaqueta informales, pero puedes estar seguro de que este principio no es aplicable a la inversa.

Unos apuntes sobre el maquillaje. Hombres: no llevéis. Mujeres: en general, debe bastar con vuestro maquillaje «de calle» (el que lleváis todos los días). Si vas a hablar en una sala muy grande, considera la posibilidad de utilizar un poco más de maquillaje del habitual alrededor de los ojos, pero ten cuidado de no excederte (probablemente, al terminar el discurso vas a hablar cara a cara con mucha gente y no querrás parecer un payaso). Si no sueles utilizar maquillaje, considera la posibilidad de emplear los siguientes cosméticos en sutiles tonos tierra, simplemente para destacar tus rasgos bajo los focos: sombra de ojos, lápiz de ojos, rímel, colorete y pintalabios. Eso debería darte un aspecto natural y saludable sin que se note que vas maquillada. Finalmente, si vas a hablar bajo unos focos muy potentes o tienes tendencia a sudar en el estrado, ponte un poco de polvos de talco cuando termines de maquillarte.

Pruébate la ropa y el maquillaje con antelación; una vez hayas visto lo bien que quedas en el papel de oradora profesional experimentada, probablemente te resulte más fácil sentir que lo eres.

7. El pánico escénico

*Actuar es estar desnuda y darse
la vuelta muy despacio.*

ROSALIND RUSSELL

En una ocasión, el actor William Hurt se puso tan nervioso que se le cerraron literalmente los labios durante una actuación. Según sus propias palabras, «tuve que ponerme de espaldas al público para abrirme la boca con los dedos».

Si bien el de Hurt fue un caso extremo, casi todo el mundo que trabaja bajo la mirada del público debe luchar contra los nervios en un momento u otro. El miedo de Barbra Streisand a actuar ante el público es legendario. Michael Jordan admite que experimenta regularmente el nerviosismo anterior a un partido. Incluso Ronald Reagan, «el gran comunicador», confesó que se «arrugaba» antes de los discursos importantes.

Y la lista es interminable. Tal vez te sorprenda saber que muchos de los grandes oradores y actores de todos los tiempos han admitido sufrir pánico escénico, incluidos George Burns, Johnny Carson, Harrison Ford, Dustin Hoffman, Liza Minelli, Paul Newman, Sydney Poitier, Carly Simon, Gloria

Steinem, Harry Truman y Oprah Winfrey. Y se sabe que incluso Cierón, quizás el mejor orador de la historia, temblaba ostensiblemente cuando se colocaba ante el público.

Si bien en un principio las manifestaciones físicas del pánico escénico pueden resultar alarmantes, los profesionales más curtidos saben que son gajes del oficio. Es la forma que tiene el cuerpo de reconocer que estás a punto de hacer algo importante, emocionante. Mirándolo por el lado positivo, experimentarás una pequeña inyección de adrenalina extra que te llevará a lo más alto; el lado negativo es que si el exceso de adrenalina no se canaliza de forma apropiada puede potenciar la sensación de ansiedad. Este capítulo trata sobre cómo canalizar de forma efectiva toda esa energía.

El miedo

Una célebre encuesta informó al mundo de que los estadounidenses, por término medio, temen más a hablar en público que a la muerte, lo que llevó al cómico Jerry Seinfeld a apuntar que la mayoría de personas preferirían estar en el ataúd que pronunciando el encomio. Aunque en la práctica eso pueda ser una exageración (ante la opción de caer muerto o pronunciar un discurso, la mayoría de personas se decantarían probablemente por la segunda posibilidad), es innegable que dar un discurso puede ser una experiencia aterradora.

Lo que caracteriza a los buenos oradores no es tanto que no sufran temblores, sino que no dejan que les afecten. Según Carroll O'Connor: «El actor profesional experimenta una especie de tensión. Al aficionado esa tensión le puede, pero el profesional la necesita». Estar un poco nervioso te dará la fuerza necesaria para realizar una exposición de gran nivel.

Una vez te pongas manos a la obra, no existe mucha diferencia psicológica entre el miedo y la excitación; ambas son reacciones del tipo «luchar o huir», que nos disponen para entrar en acción. Tanto el miedo como la excitación provocan un aumento de la glucosa en la sangre, pupilas dilatadas, una mayor necesidad de oxígeno, una aceleración del ritmo cardíaco y la sensación en el estómago de estar bajando en ascensor. Sin embargo, la verdadera diferencia es psicológica: si pensamos que tenemos miedo, nos ponemos enfermos, mientras que si lo identificamos como excitación nos sentimos eufóricos. En realidad, por supuesto, no hay necesidad de elegir entre luchar o huir cuando tenemos que pronunciar un discurso. El público parece un depredador, pero sólo lo parece, de modo que puedes elegir: puedes decidir que lo que sientes es un miedo paralizante o puedes hacer como los actores y llamarle «energía interpretativa». Depende de ti.

El poder de la preparación

Sin duda, el mejor antídoto para la ansiedad interpretativa es una preparación sólida. El gran jugador de baloncesto Michael Jordan controla los nervios recurriendo a movimientos básicos que domina gracias a horas de trabajo duro. «Si practicas, practicas y practicas, cuando te pones nervioso puedes dejar que esos movimientos tomen el control», asegura.

Y esa es la razón por la que los actores tampoco se obsesionan por el pánico escénico; saben que han pasado por un proceso intensivo de ensayos que les resultará muy útil cuando llegue el momento de la interpretación. Conocen el texto al dedillo, tienen muy claros sus objetivos y sus acciones, así como su interpretación física y verbal y el atrezo que van a utilizar, de modo que cuando se hallen ante el público muy pocas cosas dependerán del azar. Eso les da suficiente libertad para meterse en el papel y conectar con el resto de personajes y con el público, en lugar de tener que preocuparse en exceso por cómo acaban de decir la última línea o por la complicada escena que se avecina.

A lo largo de los primeros seis capítulos de este libro, has aprendido a crear un proceso de ensayos similar, centrándote en lo que vas a decir, en por qué el público necesita oírlo y en cómo mejorar tu manera de comunicar tu mensaje mediante tu comportamiento físico y verbal. Así pues, si has estado trabajando en las ideas y has practicado los ejercicios, te encuentras en el camino correcto para mantener los nervios a raya.

Si, por el contrario, has ido aplazando los ensayos (porque la celebración del acto aún queda bastante lejos, porque no has encontrado el sitio apropiado, porque estás demasiado ocupado o por cualquier otra excusa barata que hayas ido poniéndote a ti mismo), puede que seas una víctima del pánico escénico y que ni siquiera lo sepas. Muchas personas se enfrentan a la ansiedad interpretativa evitándola; puesto que les da miedo prepararse para el acontecimiento, renuncian a la preparación. Ahora bien, está claro que renunciar a la preparación no hace más que alimentar el miedo. Se trata de un círculo vicioso que provoca náuseas.

Piensa en los ensayos como en ir al gimnasio: al salir de la cama a las seis de la mañana la idea puede parecerte espantosa, pero sabes que al terminar el entrenamiento te sentirás de maravilla.

Tu monólogo interno

Pero, ¿por qué tememos tanto hablar en público? ¿Tenemos realmente miedo de «caer de bruces», como se suele decir? (Al fin y al cabo, las probabilidades de resbalar en el estrado y caerse al suelo son realmente escasas.) ¿O acaso lo que nos da miedo es el rechazo de nuestros colegas, ser tildados de farsantes o enfrentarnos a lo desconocido?

Teniendo en cuenta el poder que dejamos que ejerzan esos miedos sobre nosotros, sorprende constatar lo vagos y difusos que suelen ser en realidad. Por lo general, nos resulta bastante difícil expresar con palabras lo que nos pone nerviosos de hablar en público. ¿Qué es exactamente lo peor que podría suceder, lo que hace que se nos contraiga el estómago y que sudemos ante la idea de tener que pronunciar un discurso?

Destruye tu monólogo interno destructivo

La mayoría de los miedos que experimenta la gente ante el hecho de hablar en público son irracionales. Sin embargo, conociendo al enemigo resulta mucho más fácil conquistarlo. He aquí un ejercicio encaminado a identificar y demoler esos miedos irracionales con los que puedes tropezar.

Escribe un monólogo en primera persona describiendo la peor situación que se te ocurra para hablar en público.

¿Qué sería lo peor que podría suceder, el peor de los mundos posibles? Tienes ante ti la mejor oportunidad para arrancar de tu subconsciente la peor de tus pesadillas y ponerla sobre el papel.

Sé concreto, y si necesitas ayuda, desata tu imaginación con los siguientes inicios de frase. Deja correr libremente tus miedos y escribe sin parar durante cinco minutos.

Me despierto la mañana del discurso y…

Cuando estoy a punto de salir de casa, me doy cuenta de que…

Cuando llego al lugar del acto…

Mientras presentan al orador que va a hablar antes que yo, descubro que…

Cuando subo al estrado…

Mi mente está…

Comienzo a hablar y…

Noto que el público está…

Mi reacción es…

Sigo hablando y veo que…

Cuando termino de hablar…

Al final recojo las evaluaciones del público y en una de ellas dice…

Muy bien. Ya lo tienes todo escrito sobre el papel.

Método frente a locura

A continuación examinemos lo que has escrito.

Toma las hojas y tacha todo aquello que hayas escrito y que sea prácticamente imposible que vaya a suceder; tal vez sean ideas que se te hayan ocurrido por culpa de miedos que tienes en otras situaciones, pero si eres sincero contigo mismo verás que no son cosas por las que debas preocuparte a la hora de hablar en público. Es hora de que admitas que se trata de miedos irracionales: elimínalos por completo.

Por ejemplo, si escribiste: «En la parte más seria del discurso alguien de entre el público se echa a reír escandalosamente», pregúntate si alguna vez has sabido de unos oyentes tan groseros que se rían del orador por las buenas. Es algo extremadamente raro. ¿Acaso te crees tan especial para que tu discurso sea una excepción entre un millón? Es irracional, táchalo.

Una vez hayas eliminado todo lo que se encuentra claramente fuera del ámbito de lo posible (los miedos irracionales), lo más probable es que te queden algunos miedos racionales. Esas son las cosas que temes y que sí podrían pasar realmente cuando vayas a dar un discurso.

Los miedos racionales exigen soluciones racionales, y afortunadamente, siempre se acaba encontrando alguna.

Por ejemplo, si tienes miedo de que el atril sea demasiado alto, llega al lugar del discurso con tiempo y averigua cómo se ajustan los micrófonos o, por lo menos, dónde puedes conseguir algo donde subirte. Si tienes miedo de que te tiemblen las manos, piensa en apoyarlas en el atril o en mantenerlas pegadas al cuerpo, para que no te tiemblen las hojas de tus notas. ¿Te preocupa sufrir un ataque de tos justo al llegar al clímax del discurso? Ten un vaso de agua a mano y permítete una pausa para beber hasta que pase el ataque; así de sencillo. Al fin y al cabo, el público ya sabe que eres un ser humano.

Algunos miedos pueden eliminarse rápidamente. Puedes evitar el miedo a que tus hojas de notas se manchen de café asegurándote de que dispones de varias copias y no llevándotelas todas a la mesa del desayuno. Si estás preocupado por si te quedas dormido y llegas tarde al salón de actos, compra otro despertador o pídele a un amigo que te llame a primera hora de la mañana.

El miedo a que el público esté contra ti o te tome por un impostor es un miedo muy frecuente, pero rara vez tiene fundamento. Intenta verlo desde el punto de vista del público y descubrirás hasta qué punto lo tienes de tu lado. Piensa en alguna ocasión en la que hayas asistido a una conferencia. ¿Qué esperabas del orador? ¿Aprender algo? ¿Sentirte embelesado? ¿Estimulado, tal vez? Pero lo más probable es que no fueras con la intención de poner a prueba los conocimientos del orador, ni tampoco para ver cómo se ponía en ridículo.

El público no está ahí para juzgarte, sino para aprender algo. Y para enseñar algo no hace falta saberlo todo sobre todo; sólo necesitas poseer unos conocimientos especiales acerca del tema concreto sobre el que vayas a hablar. En palabras de Will Rogers, «todo el mundo es ignorante, sólo que en temas diferentes». Recuerda: has de estar preparado para hablar sobre un tema en concreto; tus oyentes, en cambio, no. Por lo tanto, estarán más que dispuestos a concederte el beneficio de la duda siempre y cuando les proporciones una experiencia significativa que les resulte de utilidad.

Así pues, repasa los miedos que no has tachado y piensa un modo realista de abordarlos. Anota las soluciones que se te ocurran para poderlas recordar más adelante.

Fomenta tu monólogo interno constructivo

Por supuesto, en la mayoría de casos es poco probable que incluso los miedos que definiste como «racionales» se materialicen. De hecho, lo más probable es que tu discurso quede más o menos como en los ensayos, y es muy posible que obtengas críticas excelentes, así que pensemos en clave positiva e imaginemos lo bien que podría llegar a salirte todo.

¿Qué ocurriría si al final resultara que ese discurso marcase un hito en tu vida personal o profesional? ¿Cuán agradable podría ser la experiencia de hablar en público?

Tómate unos minutos para visualizarte a ti mismo dejando al público asombrado con tu discurso. ¿Qué aspecto tenías cuando subiste al estrado? ¿Cuál fue el primer indicio de que las cosas iban bien? ¿Qué pensaste antes, durante y después del discurso? ¿Cuál fue la mejor parte? ¿Cómo sabías que el público estaba contigo? ¿Qué hicieron los presentes cuando terminaste de hablar? ¿Qué respuesta obtuviste? Crea una imagen mental clara de tu exposición y de la respuesta entusiasta del público.

Una vez te hayas contagiado del dulce aroma del éxito, realiza el siguiente ejercicio: escribe una carta breve a un amigo íntimo o a un colega y háblale de tu éxito imaginario en el campo de la oratoria, describiendo con todo detalle lo bien que lo hiciste. (Asegúrate de que el destinatario de esta carta imaginaria es alguien a quien no le molestaría tu jactancia: la modestia no es para nada el objetivo de este ejercicio.) Escribe durante cinco minutos, tan libre y velozmente como puedas, sin detenerte a pensar en lo que has escrito ni a juzgar tus palabras.

Adelante.

Mientras estabas escribiendo la carta, ¿te has formado una imagen mental de cómo actuabas ante tu audiencia? ¿Has llegado a notar lo que sentías al disfrutar del hecho de hablar en público? ¿Has podido ver el impacto de tu mensaje en los oyentes?

Es importante que mientras continúes preparándote para el discurso recuerdes todas esas sensaciones. Resulta fácil dejar que el pensamiento derive hacia las cosas que pueden salir mal. Contrarresta esa tendencia dedicando cada día un momento a pensar en todo lo que puede salir bien. Al imaginar que tienes éxito, estarás haciendo que aumenten enormemente las probabilidades de que pronto se haga realidad lo que imaginas.

Preparación y relajación

De acuerdo, ya has hecho el ejercicio de visualización, pero, sinceramente, persiste aún una cierta inquietud. Recuerda: no hay nada malo en estar nervioso; sólo debes aprender a transformar esa energía nerviosa en una energía constructiva. Puesto que algunas de las manifestaciones más negativas del pánico escénico son fisiológicas (respiración poco profunda, temblores, tartamudeos), una de las mejores maneras de aliviar esos síntomas es aprender a recuperar la calma física.

Con el tiempo, los actores han desarrollado un ritual bastante fiable para recanalizar constructivamente los síntomas físicos del nerviosismo: se trata de la rutina de calentamiento. Si se lleva a cabo antes de los ensayos importantes y antes de todas las funciones, el calentamiento mejora el flujo sanguíneo, regula los ritmos cardíaco y respiratorio (de modo que la energía se utiliza con la máxima eficiencia) y «afina los instrumentos» de la comunicación.

El calentamiento debería convertirse en una parte fija de tu rutina de ensayos de cara al discurso. Antes de cada ensayo, realiza esta serie completa de ejercicios; así tu cuerpo se acostumbrará a empezar a hablar en un estado de relajación y preparación. El día del discurso, haz los ejercicios antes de salir de casa, para centrarte y hacer que la energía fluya en la dirección correcta. Una vez te encuentres en el edificio donde vayas a dar el discurso, puedes incluso meterte discretamente en una sala vacía y ejecutar versiones reducidas de los ejercicios justo antes de subir al estrado. Tu exposición saldrá enormemente beneficiada y nadie se dará cuenta.

Calentamiento 1: Respirar profundamente

Tiéndete boca arriba en el suelo con los ojos cerrados y pon una mano encima del estómago. Inspira profundamente y suelta el aire: deberías notar cómo la mano sube al inspirar y baja al espirar. Sigue respirando profundamente, expandiendo el diafragma al inspirar y contrayéndolo al espirar hasta que estés relajado.

No tengas prisa mientras realizas este ejercicio; piensa que se trata de un tiempo que te has reservado para disfrutar de la sensación de respirar profundamente. Es algo que debería hacerte sentir cómodo y relajado.

Quédate en el suelo, simplemente respirando, durante al menos tres minutos. Después incorpórate lentamente hasta quedar sentado. Mantén esa posición durante al menos un minuto antes de ponerte de pie.

Calentamiento 2: Tensar y relajar todo el cuerpo

Adopta una posición relajada y erguida. Tensa los brazos, inspira profundamente y mantente en tensión mientras cuentas hasta cinco. Entonces relaja los brazos y espira. Repite este ciclo de tensar y relajar con los hombros, las manos, la parte baja de la espalda, los glúteos, las piernas y los pies sin dejar de respirar profundamente todo el tiempo.

Este ejercicio también es útil para tensar y relajar los músculos de la cara: abre los ojos y la boca tanto como puedas; relájalos. Luego contrae los músculos de la cara con todas tus fuerzas y relájalos. Repite el ejercicio tres veces.

Finalmente agita todo el cuerpo, imaginando que te estás librando de toda la tensión acumulada. Respira profundamente y relájate.

Calentamiento 3: La muñeca de trapo

El ejercicio de la muñeca de trapo te ayudará a aclarar la mente, relajar el cuerpo y encontrar una postura erguida y cómoda.

Ponte de pie, con los pies ligeramente separados y las piernas paralelas. Imagina que de pronto la cabeza te pesa mucho y deja caer la barbilla sobre el pecho despacio. Después, deja que todo el peso de tu cuerpo te arrastre lentamente hacia el suelo, vértebra a vértebra, hasta que estés completamente encorvado, como una muñeca de trapo. Asegúrate de que no haces fuerza con el cuello y de que lo notas suelto y relajado. Mientras estás encorvado, oscila lentamente hacia atrás y hacia delante, y no te olvides de respirar.

Cuando te hayas relajado completamente en esa posición, comienza a levantarte lentamente, empezando por las corvas y siguiendo por los glúteos y por toda la columna, vértebra a vértebra. Lo último en levantarse ha de ser la cabeza.

Una vez estés erguido, respira profundamente y relaja los hombros al espirar. Repite el ejercicio tres veces.

Calentamiento 4: Ejercicio aeróbico

Una gran forma de liberar las tensiones que se acumulan en el cuerpo es realizar ejercicios físicos enérgicos. Además de los calentamientos de relajación y postura ya descritos, incorpora algún tipo de ejercicio cardiovascular a tu rutina de ensayo. Prueba a hacer cincuenta saltos (contándolos en voz alta) o una rutina de tres minutos de fuertes ejercicios aeróbicos justo antes de abordar el discurso. Pronto descubrirás que después de someter el cuerpo a un ejercicio físico no le queda energía para estar tenso. Tu respiración se volverá automáticamente más profunda y tendrás los músculos más relajados.

Cambios de actitud

Cuando en una ocasión le preguntaron a Ethel Merman si se ponía nerviosa al cantar en Broadway, supuestamente replicó: «¿Ponerme yo nerviosa? Los espectadores pagan veinticinco dólares por una butaca. ¡Quienes deberían ponerse nerviosos son ellos!». (Con los precios de hoy en día, estarían aterrorizados.) Bromas aparte, esas palabras ponen de relieve algo muy cierto: el espectáculo es tuyo y eres tú quien está al mando. Recuerda: han venido a aprender, no a juzgarte. El simple hecho de tener eso presente al iniciar tu discurso debería bastar para que domines los nervios.

Sin embargo, si eres incapaz de deshacerte de la imagen del público como una multitud colérica que sólo espera verte fracasar, intenta pensar en la relación que mantienes con él de un modo diferente. Recuerda que la imaginación es una herramienta poderosísima; cuando contemples tus oyentes, imagina que son una clase de buenos alumnos ansiosos por saber más cosas sobre su asignatura preferida y que tú eres el profesor, o que son candidatos a un puesto de trabajo y esperan que los rescates de entre la multitud y los coloques en tu empresa. Utiliza la visualización creativa para recordar en todo momento que quien tiene el control eres tú.

He aquí otro principio teatral que debes tener presente si te preocupa especialmente lo que tus oyentes puedan pensar de ti: el público sólo ve lo que está ahí; lo que no está no lo ve.

Los actores pasan mucho tiempo ensayando una obra y realizando elecciones sobre aspectos de su personaje que terminan descartando en las últimas etapas del proceso, y eso puede llevarles a obsesionarse por todo lo que dejan de hacer. En la noche del estreno no es nada raro encontrar a los actores en el camerino, obsesionados por todo aquello que han descartado, temiendo que la historia de la obra pueda no tener sentido para el público. Sin embargo, como por arte de magia, el público tiene siempre la impresión de que lo que ha visto era la historia completa. Tal vez con la única excepción de aquel crítico teatral que ve *Hamlet* por septuagésima cuarta vez, el público no se dará cuenta de lo que no ve, a menos que los actores se lo digan.

Exactamente lo mismo puede decirse de cuando se da un discurso: el público tan sólo verá lo que está ahí, y no se dará cuenta de lo que no está a menos que tú, con tus palabras o tu tono de voz, te disculpes por lo que no vas a decir. Sin embargo, y gracias a tu preparación, sabrás muchas cosas y, por lo tanto, tendrás donde elegir. Céntrate en eso. En los momentos previos a subir a escena, olvídate de lo que crees que no sabes y de lo que no podrás hacer, ya que se trata de algo que el público no sabrá jamás.

Si aun así no logras evitar que tu mente insista en pensamientos negativos antes de subir al estrado, he aquí otra solución: imagina a un amigo o a un entrenador felicitándote por la gran exposición que estás a punto de realizar. O imagina por un instante que alguien a quien amas te coge de la mano o te frota la espalda. Aparta de tu mente el millón de cosas que te preocupan y que no van a suceder y comienza a pensar en algo realmente constructivo.

Un viejo truco de actor para justo antes de que se levante el telón consiste en pensar en una de las frases o en uno de los momentos preferidos de la obra, en eso que uno no puede esperar a hacer o decir. Haz lo mismo con tu discurso: concéntrate en la mejor parte y piensa lo mucho que les va a gustar oírla.

Finalmente, si te preocupa que la audiencia se percate de lo nervioso que estás, deja de preocuparte. Tal como en una ocasión dijo Dick Cavett, un popular colaborador de programas de entrevistas por televisión, todo lo que uno hace delante del público «resulta mejor de lo que a uno le parece en ese momento». Aunque cueste creerlo, la mayoría de síntomas del pánico escénico pasan completamente desapercibidos al público.

Así pues, relájate.

8. Últimos ensayos

Cuanto más trabajas, más cosas encuentras.

ROBERT SEAN LEONARD

A medida que vayas incorporando ejercicios de imaginación, análisis textuales intensivos y nuevos hábitos físicos y vocales, tu desempeño cobrará solidez, profundidad, claridad y persuasión, y seguirá mejorando hasta llegar a un nivel óptimo. Eso significa que poco a poco irás adoptando una «forma» definitiva. La analogía con el teatro es que una vez que los actores llegan a la noche del estreno, saben lo que deben decir, cómo deben moverse y de qué modo afectará su trabajo a los demás personajes de la obra. Para cuando se encuentran ante el público real, han dedicado muchísimos esfuerzos a realizar determinadas elecciones con respecto a los resultados que quieren obtener. Tienen, por lo tanto, muchas cosas en las que apoyarse.

Sin embargo, eso no significa que la interpretación se vuelva estática: de hecho, concentrarse en que cada noche sea todo exactamente igual es la mejor forma de dejar sin vida cualquier espectáculo. Además, es un esfuerzo inútil, ya que la presencia de seres humanos reales garantiza que siempre se produzca un cierto grado de variación de un ensayo a otro y de una interpretación a otra, al menos de forma sutil. Y eso es bueno, ya que esa sutileza es lo que da vida a los espectáculos en directo.

Cuando los oradores temen ensayar en exceso, lo que en realidad les preocupa es perder esa sutileza y esa vida, y reemplazarlas por rigidez. Sin embargo, eso no sucede a los actores que saben cómo deben ensayar y, por lo tanto, tampoco tiene por qué sucederte a ti. Las últimas etapas del proceso de ensayo te servirán para recuperar la conexión con los elementos emocionantes del discurso y para generar un impulso que te propulse hacia tu actuación. También deberían servirte para preparar el momento de la verdad, para poner en orden los materiales escritos y visuales y para tomar decisiones claras acerca de cuándo y cómo vas a utilizarlos.

PULIR LA RUTINA

Hasta el momento te hemos animado a reducir tu discurso a sus componentes básicos y a examinarlos desde todos los ángulos posibles. Ahora, sin embargo, se acerca la fecha en que deberás pronunciarlo y conviene comenzar a unirlos de nuevo. Entre este momento y el día en que pronuncies realmente el discurso, intenta encontrar períodos de tiempo, cuanto más prolongados mejor, para ensayar fragmentos y alguna vez pronunciarlo completo.

Lo mejor es establecer una rutina fija. Sería ideal que pudieras ensayar cada día a la misma hora; para la mayoría de la gente eso es algo difícil de compaginar con su horario, pero lo importante es adoptar unos hábitos de ensayo lo más regulares posibles. Comienza siempre con el calentamiento y comprométete a sacarle el máximo partido al tiempo de ensayo. Si es necesario, cierra las puertas y descuelga el teléfono.

Una rutina definida resulta útil por muchos motivos. En primer lugar, te ayuda a desarrollar el hábito de hablar en un tiempo determinado, lo cual te facilita la labor de decir todo lo que deseas antes de que caiga el telón. Seguir un horario también te ayudará a encontrar más tiempo para ensayar, ya que si adoptas el hábito de esperar a disponer de tiempo libre, descubrirás que esa circunstancia no se da nunca. Finalmente, saber cuándo, dónde y cómo vas a ensayar desvelará muchas de las incógnitas que causan tu nerviosismo, y además puede ayudarte a adquirir el hábito de sentirte a gusto tras el atril en lugar de angustiado. En pocas palabras, la regularidad fomenta la profesionalidad.

Espacio y tiempo

Desde este momento, cada vez que ensayes debes tener una idea clara del espacio en el que vas a pronunciar realmente el discurso. Eso significa que si tu exposición va a tener lugar en un auditorio y tú ensayas en la sala de estar, habrás de utilizar la imaginación para estar preparado cuando llegue el momento.

Si aún no sabes en qué tipo de espacio vas a pronunciar el discurso, ha llegado la hora de descubrirlo. Llama a la persona que se encargue del acto y pregúntale por las dimensiones y la disposición de la sala. ¿A qué distancia del público estarás? ¿Pronunciarás el discurso desde un estrado? ¿Cómo será la acústica del local? ¿Habrá micrófono? ¿Un atril?

Si no averiguas la respuesta exacta a estas preguntas, puede que estés haciendo suposiciones que luego quizá lamentes. Llamando al encargado del acto no sólo resolverás tus dudas, sino que además le demostrarás que te preocupas por lo que vas a hacer.

Mejor incluso que una llamada telefónica sería una visita. Si puedes echar un vistazo a la sala en la que pronunciarás tu discurso (estudia la distribución y percátate del ambiente del local), cuando se acerque el momento habrá muchas menos cosas por las que preocuparte.

Una vez tengas una idea aproximada de cómo es el lugar, incorpora de forma activa ese conocimiento a tus ensayos recreando en la medida de lo posible el espacio en el que darás el discurso. Si vas a disponer de atril, ensaya con uno. Si no tienes ninguno a mano pero se te dan bien las manualidades, puedes montar uno con cartón y cinta adhesiva. (Si no se te dan bien las manualidades, tal vez puedas encontrar a alguien que te lo monte.) También puedes colocar un montón de libros encima de una mesa. Haz todo cuanto esté en tu mano para recrear el aspecto real que crees que tendrá la sala.

Si vas a utilizar un micrófono, no te hará ningún daño practicar con uno, si te es posible hacerlo. Sin embargo, harás bien en recordar que no debes dejar que el micrófono haga el trabajo por ti. Es mejor bajar el volumen del aparato y proyectar la voz que amplificar electrónicamente una voz con poca energía.

Tanto si vas a utilizar micrófono como si no, si el lugar en el que has de pronunciar el discurso es más grande que aquel en el que ensayas, utiliza la imaginación para derribar algunas paredes. A medida que se acerque el día de la actuación, eso se convertirá en algo aún más importante que adoptar unos hábitos apropiados al proyectar la voz y al establecer contacto visual con un público imaginario.

A estas alturas también deberías conocer el tiempo exacto que se espera que hables. Si albergas alguna duda al respecto, consúltalo con los organizadores. Cronométrate mientras ensayas y asegúrate de que logras decirlo todo en menos tiempo del previsto. A menos que tengas tendencia a hablar con lentitud, probablemente no quieras tener que acelerar el discurso; en cambio, no deberías dudar a la hora de eliminar fragmentos enteros (incluso algunos que te encanten, si es necesario) para no excederte del tiempo establecido. Por muy importante que sea tu mensaje y por muy elocuentes que sean tus palabras, no debes alargarte más de lo conveniente. Como suelen decir en el mundo del espectáculo: «Déjalos siempre con ganas de más».

Prepara el guión y las notas

A estas alturas ya sabrás si vas a utilizar un discurso completamente redactado, hojas de notas o algún sistema intermedio. Resulta muy útil tener ese material preparado en su forma definitiva con bastante antelación.

Si trabajas a partir de un guión, utiliza hojas gruesas (de 90 gramos) y blancas con un tipo de letra en cuerpo grande (al menos de doce puntos), para que las páginas sean fáciles de manejar y el texto resulte fácil de leer; escribe a doble espacio y deja márgenes generosos; asegúrate de que los cambios de párrafo se ven con facilidad, porque pueden significar un cambio en tu forma de actuar. No dudes en escribir cosas en el guión para recordar las palabras clave u otras informaciones importantes referentes a lo que debes destacar en las distintas partes del discurso. No olvides tampoco numerar las páginas, por si se te desordenaran.

Cuando estés pasando a limpio el discurso, evita dividir una idea en dos páginas. Si una frase comienza en una página pero no termina en ella, trasládala toda a la página siguiente. Asimismo, mientras estés pronunciando el discurso, en lugar de ir poniendo las páginas debajo del montón cuando hayas acabado con ellas, deslízalas hacia la izquierda; muchos oradores coinciden en que este movimiento resulta menos llamativo y distrae menos al público.

Si utilizas hojas de notas, sigue el mismo consejo de antes con respecto al papel y la letra (o escríbelas a mano). A medida que vayas ensayando verás que cada vez dependes menos de tus notas, en cuyo caso es aconsejable que intentes reducir su número. Así te resultará más fácil centrar la atención en el público, como debe ser. Por supuesto, si te sientes más cómodo con muchas notas, utilízalas.

Por cierto: tanto si te sirves de un guión como de hojas de notas, no finjas que no es así. Son muchos los oradores que actúan como si se tratara de un secreto sucio que deben ocultar a toda costa. De todos modos, los asistentes lo notan: no son ni ciegos ni estúpidos. Pero es que además no les importa. Si fueran ellos quienes estuvieran ahí arriba, probablemente también lo utilizarían. Si empleas el material escrito como un medio para conectar con el público de forma más efectiva, no tienes por qué sentirte culpable de ello: hazlo con orgullo.

Dicho esto, hay dos momentos en los que deberás asegurarte aún más, si cabe, de que no dependes en exceso de las notas o de un guión: el principio y el final son elementos tan cruciales de tu exposición que lo ideal sería que te los aprendieras de memoria. Si el discurso es muy corto, por supuesto, puedes memorizarlo por completo.

Intenta recordar

«¿Cómo consigues recordar tantas frases?» Esa es la pregunta que con más frecuencia debemos responder quienes trabajamos sobre un escenario, y siempre nos parece algo bastante divertido. Al fin y al cabo, es una de las cosas menos interesantes que hacemos en nuestro trabajo. Además, una vez la has hecho muchas veces, es también una de las más sencillas. Sin embargo, a los no iniciados el hecho de que poseamos la capacidad de memorizar puede parecerles tan misteriosa como si tuviéramos visión de rayos X.

Así pues, y a riesgo de confesar todos nuestros secretos, ahí van unos cuantos trucos de actor probados y contrastados para recordar un texto:

- Apréndete la primera oración de memoria, repítela mentalmente y después comprueba si lo has hecho bien. Si es así, pasa a la siguiente oración, pero no avances más hasta que seas capaz de repetir la primera y la segunda juntas. Continúa de esta forma, siempre regresando al principio de modo que memorices no sólo las oraciones, sino también la forma en que encajan entre sí.

- Escribe el texto completo a mano; eso te obligará a tomarte un tiempo para concentrarte en cada palabra y para verlas con un nuevo aspecto, y además potenciará tu recuerdo a través de una actividad física.

- Graba una cinta con el fragmento que quieres aprenderte de memoria y escúchala en el coche o en el metro.

- Asocia las palabras con imágenes claras y que puedas recordar con facilidad. Por ejemplo, si tienes problemas para acordarte de la frase «Italia rechazó la oferta de Churchill», puedes crear una imagen mental clara de una bota con la forma de Italia pegándole un puntapié a una caricatura de Churchill y mandándola al Atlántico.

- Trabaja en la memorización del guión justo antes de irte a dormir; a la mañana siguiente te sorprenderá lo mucho que habrás logrado retener. Además, muchas sesiones cortas de memorización son mejores que unas cuantas sesiones más largas, de modo que propónte hacer un poquito cada noche.

- Ensaya, ensaya y ensaya. Cuantas más veces repitas algo en voz alta, más sencillo te resultará recordarlo.

Trabajar con elementos visuales

Tal como dijimos en el capítulo 3, los elementos de apoyo visual pueden aportar claridad, fuerza y diversión a muchos tipos de discurso; pero, por desgracia, también pueden distraer del mensaje si se utilizan sin criterio.

No resulta sorprendente el hecho de que los elementos de apoyo visual no hablen por sí mismos; tú eres el único orador de la sala, y tuya es la responsabilidad de hacer que los elementos de apoyo visual sean eso, un apoyo, y no sólo en las etapas de preparación, sino también durante la exposición. El modo de utilizar las diapositivas es tan importante como lo que hay en ellas.

Una vez seas capaz de pronunciar largos fragmentos del discurso, deberás incorporar los elementos de apoyo visual a todos los ensayos. No se trata de un espectáculo independiente y simultáneo, sino de una parte integral de tu exposición, de modo que no esperes que a la hora de la verdad funcionen por sí solos.

Doble exposición

Una parte del problema potencial de los elementos visuales está en que las diapositivas pueden eclipsar el espectáculo. Ningún actor que merezca ese nombre permitiría jamás que el atrezo le hiciera sombra, de modo que no lo permitas tú tampoco.

No nos estamos refiriendo sólo a las imágenes especialmente llamativas, ya que todas las imágenes compiten por la atención del público. A cada momento, todos tus oyentes deberán decidir si mirarte a ti o mirar la imagen.

Aunque te parezca una preocupación trivial, esa división de la atención puede mutilar tu mensaje, por lo que deberás ayudar al público a decidir prestar atención a lo que tú desees.

Lograr que el público se fije en una cosa o deje de fijarse en otra es un asunto crucial para los actores de teatro. Los de cine y televisión no tienen que preocuparse por ello, ya que en la pantalla la cámara le indica al público adónde debe mirar. En el escenario, sin embargo, si pasan muchas cosas en la parte izquierda, el público prestará mucha menos atención a lo que sucede en la parte derecha, incluso en el caso de que sea más importante para la obra. Los actores necesitan aprender a atraer la atención del público y a dirigirla hacia otras personas cuando los objetivos de la obra así lo exijan, y para ello se necesita práctica y un alto nivel de conciencia de todo lo que sucede alrededor.

Tú, igual que ellos, deberás aprender a dirigir la atención del público para ayudarle a comprender tu discurso lo mejor posible. Recuerde siempre esto: conoces el discurso y también las diapositivas mucho mejor que ellos, que están oyendo y viendo todo eso por primera vez y por lo tanto no es probable que lo entiendan por completo en ese preciso momento.

Las primeras impresiones cuentan

Antes de incorporar imágenes a tu discurso deberás estudiarlas bien una por una para determinar exactamente qué historia visual explican. Da un paso atrás y trata de imaginar que ves cada imagen por primera vez, como si no tuvieras ni idea de su contenido y sólo pudieras ver las formas y los colores. Si no dijeras nada, ¿qué crees que pensaría el público si la viera durante uno o dos segundos? ¿Qué información puramente visual comunica?

¿Ves en ella círculos concéntricos? Eso sugiere que la imagen trata de una secuencia de cosas que están contenidas unas dentro de otras. (Tal vez una persona que forma parte de un grupo de trabajo que forma parte de un departamento que forma parte de una sucursal que forma parte de una empresa.) Las relaciones específicas entre elementos tienen una representación visual.

¿Acaso lo primero que ves es una línea ascendente de izquierda a derecha? Todos tenemos conocimientos suficientes sobre gráficos para saber que probablemente esa información visual se refiera a un aumento de algún tipo.

¿Se distingue inmediatamente una zona roja y otra zona verde? Va a haber una comparación o una contraposición de dos elementos.

Existen otras muchas primeras impresiones visuales, entre las cuales una barra de un gráfico de barras sobresaliendo por encima del resto, unas flechas que indiquen los pasos de un proceso o el sorprendente parecido entre los objetos presentados en la pantalla. O tal vez sea una parte del texto escrito en un tipo de letra más oscuro o más grande que el resto, y un larguísimo etcétera.

Como ya hemos dicho anteriormente, los oradores pueden llegar a obsesionarse tanto con lo que hacen que olviden que todos sus actos deben ser en beneficio del público. Un claro ejemplo de ese error se produce cuando el orador no logra ponerse en el lugar del público en lo relativo a los elementos visuales. Recuerda: tú ya sabes de qué tratan las imágenes y por ese motivo tenderás a asumir que el público también lo sabe, pero no es así.

Repasa las diapositivas y describe cómo crees que será la impresión del público ante cada una de ellas. Luego pregúntate a ti mismo hasta qué punto la información visual reforzará tu mensaje. ¿Crees que visualmente la primera impresión de lo que destaca en cada imagen se corresponde con lo que pretendes decir con ella? Si es así, fantástico: estás trabajando en consonancia con los elementos de apoyo visual. Si la correspondencia no es del todo clara (por ejemplo, si parece que lo importante de un gráfico es el sentido ascendente de los valores cuando en realidad es lo bajo que era ese valor al principio), no tiene por qué suponer un problema insuperable, pero ten en cuenta que cuando la imagen aparezca deberás hacer un esfuerzo extra para orientar al público en la dirección correcta. Algo que te puede ayudar a lograrlo es añadir un par de líneas; por ejemplo: «Como pueden ver, este año hemos experimentado un crecimiento sustancial. Pero lo más destacable es el punto de partida, que aparece representado en la esquina inferior izquierda».

Después de eso da el paso siguiente y ve más allá de las primeras impresiones. Si el público pudiera ver todo lo que aparece en una imagen concreta, ¿qué vería? Existe una pregunta vital que normalmente no se formula: «¿Exactamente por qué motivos esta imagen forma parte de mi exposición?» Si puedes contestar esta pregunta con detalle y en términos de lo que la audiencia puede y debe sacar de la imagen, entonces (y sólo entonces) podrás utilizarla de forma efectiva en beneficio de tu exposición.

Gráficos

Siempre que reproduzcas un gráfico en la pantalla, lo primero que debes hacer es indicar qué representan los ejes x e y. Muchos oradores asumen que sus oyentes verán qué nombre figura en cada eje y creen que proporcionarles esa información sería tratarlos como a niños. Pero no es así: un gráfico es un objeto complicado. Cuando el público ve uno por primera vez, recibe una gran cantidad de estímulos visuales y, al mismo tiempo, tiene que escucharte a ti. Intentan desesperadamente hacerse una idea de todo para descubrir qué se supone que deben comprender. Si les ayudas a aclimatarse a lo que están viendo, nadie sentirá que lo tratas como a un niño. En cambio, si no les dice nada, pueden sentirse confundidos y perderle la pista a tu razonamiento mientras intentan aclimatarse solos.

Asegúrate de que sabes exactamente qué respuesta querrías obtener del público a la pregunta: «¿Qué es lo importante de este gráfico?». Tener una vaga idea de lo que es realmente importante no sirve.

Supongamos que tienes un gráfico de líneas complejo que muestra, en cifras mensuales, el número total de homicidios, de delitos menores y de actividades criminales en general llevados a cabo en tu distrito policial durante los últimos tres años. La razón por la cual has incluido ese gráfico en tu discurso es que quieres lograr que el ayuntamiento reconozca que, a pesar de que la cantidad total de actividades criminales ha disminuido, el número de homicidios ha aumentado, motivo por el cual deseas un mayor despliegue policial. En lugar de hacer lo que harían la mayoría de oradores inexpertos en cuanto aparece la imagen en la pantalla y decir: «Como pueden ver, en realidad el número total de homicidios ha aumentado», da algunos pasos simples para orientar al público.

En primer lugar debes decirles qué es lo que están viendo: «Este gráfico muestra la tendencia de la actividad criminal en nuestro distrito durante los últimos treinta y seis meses». Muy bien. Ahora ya tienen una idea básica de lo que están evaluando. A continuación necesitas asegurarte de que saben cómo aparecen representadas las estadísticas: «El tiempo está representado en el eje horizontal; el número de crímenes denunciados, en el vertical». Después intenta que se habitúen a los elementos visuales básicos: «La línea roja representa el número de delitos menores; la azul, el número de homicidios; la verde, el número total de actividades criminales». Ahora ya saben qué elementos se están yuxtaponiendo. Llegado este punto, resulta perfectamente lógico explicar lo que demuestra la diapositiva: «Como pueden ver, a pesar de que el volumen total de actividades criminales ha descendido, en realidad lo único que ha descendido son los delitos menores; el número de homicidios lleva creciendo de forma regular desde hace más de dos años».

Pero tu trabajo no termina con una explicación de la imagen. Los buenos oradores siempre indican al público lo que deberían hacer con la información gráfica que han recibido: «Este gráfico demuestra claramente que, al contrario de lo que se nos dice desde el departamento de policía, los habitantes de la ciudad tenemos más probabilidades de morir en nuestras calles hoy que hace tres años. Así pues, solicitar una presencia policial más visible en nuestras calles no es una demanda frívola, sino una necesidad que puede salvar vidas».

Primeros auxilios visuales

Conocer el porqué y el cómo de la utilización de cada imagen para apoyar el mensaje general del discurso es, por supuesto, el factor primordial que determinará el éxito de la presentación visual. Sin embargo, existen otros factores técnicos que hay que tener en cuenta. Los siguientes trucos te ayudarán a explotar al máximo el repertorio de elementos de apoyo visual a medida que vayas guiando al público a través de las imágenes:

- Nunca proyectes una imagen hasta que estés preparado para orientar la atención del público. Muchos oradores pasan a la siguiente imagen en cuanto han acabado con la anterior en lugar de hacerlo cuando están realmente preparados para comentarla.

- Asegúrate de conceder al público un breve instante para asimilar la información visual de una imagen antes de empezar a hablar de ella.

- Si una imagen contiene texto, lee una parte de él para ayudar a conectar la imagen con lo que estabas diciendo. Muchas personas aconsejan a los oradores que no lean los textos de las diapositivas, porque es como si dieran a entender que las personas del público son incapaces de leerlos por sí mismas; no obstante, como ya hemos dicho, no querrás tener que competir por la atención de tus oyentes mientras leen esos textos, y no debes arriesgarte a perder su atención concediéndoles demasiado tiempo para leerlos. Por ello, la mejor forma de abordar las imágenes con texto es leyendo en voz alta los puntos fundamentales y añadiéndoles valor con una breve explicación o con un ejemplo.

- Habla de todos los elementos que aparezcan en la diapositiva. Si pasas por alto alguna parte, la atención del público se concentrará automáticamente en ella y todos se preguntarán si has cometido un error o, peor aún, si les estás escondiendo algo. Además, si no vas a hablar de ello, ¿por qué está en la diapositiva? Es correcto referirse a partes relativamente poco importantes de las imágenes con frases del tipo: «Como ven, también nos dirigimos a otras comunidades». En otras palabras, si no quieres entrar en detalles sobre algo, haz que el público sepa que se trata de una decisión consciente y dale por lo menos una breve explicación de por qué no abordas el tema de forma más extensa.

- Señala zonas de la imagen para que el público pueda seguirte mejor, o di: «Como ven en la esquina superior derecha…»

- En la medida de lo posible, colócate cerca de la pantalla para que el público sólo tenga que desviar ligeramente la mirada para fijarse alternativamente en ti y en las imágenes. Además, si tienes que referirte a elementos de la pantalla sobre los que centrar la atención del público, no hables directamente hacia la imagen. Recuerda que estás conversando con el público, no con los elementos de apoyo ni con el decorado.

COGER CARRERILLA

La teoría del Coyote sobre la oratoria

Actuar es un ejercicio de concentración sostenido; no hay tiempos muertos para pedirle al público que te ignore mientras te rehaces. Has de estar «en marcha» todo el tiempo, dándote por completo y manteniendo la concentración.

Lo mismo se puede decir de la oratoria. Puedes toser o engancharte en una frase de vez en cuando (nadie te lo tendrá en cuenta), pero si permites que algo te confunda o te desconcierte, el discurso sufrirá las consecuencias. Mantener la concentración te será cada vez más difícil a medida que el discurso avance porque te irás cansando. Por eso es tan importante ensayarlo como un todo, ya que eso desarrolla tu capacidad de concentración.

Tal vez creas que ya sabes concentrarte; no eres un alumno de instituto. Sin embargo, el tipo de concentración que necesitan los actores y los oradores es de un orden superior al que probablemente estás acostumbrado.

Si nunca has experimentado nada como lo que leerás a continuación, es casi seguro que lo experimentarás en algún momento: ante el público, el discurso te está saliendo perfecto, levantas la mano izquierda para rascarte la mejilla y...

¡ZAS! En lo único que puedes pensar es en tu mano izquierda levantándose para rascarte la mejilla. ¿Por qué estás haciendo eso? ¿Es apropiado? «Ahora todo el público me está mirando mientras me rasco la mejilla. No puedo creer que me haya rascado la mejilla delante de toda esta gente.»

Parece ridículo hasta que eres tú quien está ahí arriba. Tal vez rascarse la mejilla no te molestaría; pero quizás subas al estrado y en lugar de decir: «El señor Spalding conoció al doctor Eichmann», digas: «El señor Spalding conoció al doctor Fleishman». Y puede que sientas pavor.

No es que rascarse la mejilla o hacer una referencia accidental a la serie *Doctor en Alaska* tenga nada de malo. Son cosas que pasan. El problema está en tu preocupación.

Los creadores del *Correcaminos* tenían este principio psicológico muy asumido. En casi todos los episodios, el Coyote lo perseguía y de pronto se le terminaba la montaña. Sin embargo, eso no parecía ser un problema para él, ya que continuaba corriendo por el aire. De hecho, habría cogido al Correcaminos de no haber cometido un error fatal: mirar hacia abajo.

Una vez miraba hacia abajo (se detenía a analizar lo que hacía mientras lo estaba haciendo) estaba condenado: se estrellaba contra el suelo entre una nube de polvo.

Para un orador, mirar hacia abajo significa dejarse distraer, por su mano rascándose la mejilla, un traspié en una frase o el miedo a que el público no reciba bien el mensaje. En términos teatrales, se diría que debe centrarse en ese momento y no permitirse ninguna crítica sobre lo que ya haya pasado ni ninguna preocupación por lo que esté por llegar.

No mires hacia abajo; sigue avanzando. Practica pasajes largos de tu discurso y no te permitas pararte a arreglar cosas. Imagina a un público tan real que no quieras hacer nada delante de él que no harías delante de uno de verdad. Sigue adelante; no te detengas para reorganizar ni siquiera un pequeño detalle. Con práctica conseguirás la intensa concentración, el aguante y el impulso necesarios para llegar al otro lado del barranco.

El ejercicio del rizo

Los actores practican un ejercicio que les ayuda a conseguir el impulso necesario para mantener en todo momento la atención del público. Se lo llama «el rizo» y así es como puede ayudarte:

Elige un fragmento de tu discurso para trabajar en él. La primera vez que lleves a cabo el ejercicio, el fragmento debe durar un minuto o dos como mínimo y cinco como máximo. Pronúncialo para tu público imaginario. Cuando llegues al final, vuelve al principio inmediatamente y comienza de nuevo. Has de estar preparado para ello, de modo que no hayas de pasar páginas o detenerte para reorganizarte.

De hecho, ni siquiera deberías intentar cambiar tu tono de voz, ni tu objetivo ni tus acciones con el fin de ajustarte al texto al que regresas. Simplemente comienza de nuevo manteniendo el espíritu de cuando terminaste el párrafo. Al llegar de nuevo al final, regresa al principio otra vez y vuelta a empezar. Repite ese «rizo» al menos tres veces.

Ese ejercicio te aportará varias cosas. Te transmitirá el espíritu de ese «seguir adelante» tan crucial para el éxito de cualquier presentación pública, y también puede ayudarte a calentar un poco pronunciando el principio del fragmento, donde, de otro modo, tal vez no logres todavía demasiado impulso.

Inténtalo con otro fragmento del discurso. Si funciona, tal vez estés preparado para dar un paso más: rizar el rizo.

Elige otro fragmento o utiliza el mismo. Pronúncialo para tu público imaginario. Si en cualquier momento notas que logras una conexión particularmente fuerte con el texto y la audiencia, regresa inmediatamente al principio del fragmento (sin esperar siquiera a terminar). La idea es comenzar de nuevo con la energía máxima que te proporciona la mejor parte. Sigue adelante, y si en algún momento se produce de nuevo esa conexión, vuelve otra vez al principio. De hecho, no tienes por qué regresar siempre al principio del fragmento seleccionado: prueba a volver a un párrafo concreto con el que no te sientas muy cómodo. Como cada vez que rizas el rizo subes un punto el nivel de conexión, se trata de una gran técnica para potenciar la energía comunicativa y aportar las cualidades de las partes más sólidas a aquellas partes que te parecen más flojas.

Practica tanto el ejercicio del rizo como el de rizar el rizo con fragmentos cada vez mayores y, finalmente, si el discurso no es excesivamente largo, hazlo con el texto completo. (Si dura más de media hora, el ejercicio del rizo puede resultar excesivamente cansado.) Evita pararte y hacer comentarios o intentar arreglar cosas, especialmente en el momento de dar el salto hacia atrás, ya que ahí es vital mantener la concentración.

Sigue el compás

El ejercicio del rizo es perfecto para aprender a sentir cómo el fluido emocional une un pasaje del discurso con el siguiente. Sin embargo, tu discurso también tiene un curso lógico y ha llegado la hora de comprobar si le sacas el mejor partido.

En el capítulo 5 ya experimentaste con la idea de los «compases», fragmentos de la exposición en los que el orador establece una relación particular con el público (por ejemplo, al advertirles sobre lo que podría pasar si no se modificaran las prácticas comerciales arriesgadas, o al estimularlos con los excitantes resultados de un nuevo estudio sobre los hábitos de compra de los consumidores). El curso lógico de tu exposición está estrechamente relacionado en la forma como pases de un compás al siguiente. Llegado este momento, tómate algo de tiempo para examinar el guión o las notas y asegúrate de que sabes cómo y por qué pasas de una acción a la siguiente. Si hay párrafos que no puedes asociar con una acción contundente, deberás tomar algunas decisiones sobre cómo quieres utilizarlos para llegar al público.

Una vez creas comprender el curso lógico de las acciones y las ideas de un fragmento de discurso a otro, toma una cierta distancia y observa cómo contribuye cada uno de esos compases a la fuerza persuasiva del discurso como un todo. Al analizar la metaestructura de tu discurso y la forma en que vas a utilizarlo, deberías recordar las razones por las cuales en su momento incluiste ese material. Eso también te obligará a recordar que todo lo que hagas y digas tiene un objetivo, y que ese objetivo es trabajar con la audiencia para lograr el resultado deseado.

• • •

Un discurso siempre fresco

El ritmo de Broadway exige a los actores que representen el mismo espectáculo ocho veces a la semana, un calendario muy exigente que deben cumplir con independencia de lo preparados que estén física y mentalmente. El objetivo primordial es encontrar una manera de conectar continuamente con el material y disfrutar con él, incluso cuando hayas recorrido la misma carretera un centenar de veces.

Si has estado ensayando duramente tu discurso durante varios días o semanas, es posible que experimentes dificultades similares al intentar seguir viéndolo como algo vivo y excitante. Las sesiones de preparación pueden en muchos casos resultar aburridas y agotadoras, e incluso pueden parecerte infructuosas, ya que cuando se ensaya los resultados no suelen ser evidentes inmediatamente. Prepárate para esos ciclos emocionales e intenta no desanimarte: los buenos ensayos siempre dan resultado.

A medida que se acerque el día del discurso, deberás tomar decisiones claras acerca de cómo piensas hacer determinadas cosas, basándote en lo que te ha funcionado mejor en los ensayos precedentes. Por ejemplo: deberías tener presente una secuencia específica de las acciones en las que tienes planeado centrarte mientras pronuncias el discurso, y esa secuencia debería ser la misma cada vez que lo pronunciaras. Si siempre has comenzado tu discurso desde detrás del atril y te ha funcionado, sigue haciéndolo sin problemas. La experimentación salvaje de los primeros días debe dar paso a un proceso que te permita sentirte cómodo con la forma final de tu discurso. Mantener determinados elementos inmutables de ensayo en ensayo alimenta una familiaridad que reduce los nervios y refuerza la sensación de control sobre la exposición. El truco consiste en desarrollar una lógica reconfortante sin cerrarse en una rigidez que debilite el discurso.

Parte de tu tarea como orador-actor consiste en crear la ilusión de que cada vez que pronuncias un discurso lo haces por primera vez. A medida que te acerques al tramo final, recuerda que para la audiencia será la primera vez; aliéntate pensando que, a pesar de que para ti sea viejo, para ellos será nuevo.

Mantener el discurso siempre fresco requiere prestar atención a lo que se pretende conseguir. Si has perdido de vista los objetivos generales de tu discurso al concentrarte en detalles como identificar las palabras clave y adoptar una postura adecuada, ha llegado la hora de dedicarle tiempo al público imaginario que has creado. Supongamos que prevés la asistencia de cien personas a tu presentación. Dedica un momento a responder a esta pregunta: «De entre todas las personas del mundo, ¿quién se beneficiaría más de oír tu mensaje?» Imagina a esa persona y a noventa y nueve más como ella y tendrás enfrente al público ideal para practicar. Recuerda que sus necesidades deben ser el centro de atención de tu exposición y asegúrate de que tu comunicación posee en todo momento viveza y un objetivo claro.

Otra forma de infundir nuevas energías a los últimos ensayos es experimentar con tu propio estado mental (y corporal). ¿Te sientes tenso? Imagina que te has tomado un par de martinis (o cualquier otra cosa que te haga sentirte más relajado). De hecho, no estaría de más que te levantaras y pronunciaras tu discurso en un estado imaginario de embriaguez parcial. Activar la imaginación de esta forma resulta mucho más útil que pensar: «¡Relájate!»

Este método también funciona en el sentido inverso, por supuesto. Si tienes problemas para entusiasmarte o para comunicarte con energía, imagina que te tomas varias tazas de café antes de comenzar el ensayo y ve si eso te proporciona el impulso inicial que andas buscando. (Por cierto, no es una buena idea tomarse realmente algo fuerte antes de pronunciar un discurso. La estimulación química o los productos para relajar la mente pueden afectarte de forma inesperada o desagradable a la hora de hacer tu exposición. Lo mejor es evitar a toda costa el consumo de alcohol y utilizar el sentido común en lo tocante a la cafeína.)

También existen cosas más simples y concretas que puedes hacer para continuar viendo el discurso como algo nuevo. El actor David Garrison, que trabajó en el *Titanic* de Broadway más de seiscientas cincuenta veces, recomienda cambiar algún pequeño detalle en cada ocasión para no perder la frescura. Ponte un clip o una goma en el bolsillo durante un ensayo, o utiliza un vara de madera en lugar de un puntero láser para señalar la pantalla de proyección. Tal vez descubras que el hecho de tener algo nuevo con lo que jugar abre partes de tu cerebro que no has utilizado con anterioridad. En ese mismo sentido, prueba a ponerte ropa elegante o un poco de colonia y observa qué sucede: tal vez descubras que el hecho de sentirte un poco diferente afecta a tu desempeño de forma positiva.

Buenos observadores

El actor Simon Callow dijo en una ocasión que «ensayar sin público es como hacer surf sin olas». Lo que falta es la emoción de lo desconocido, el apasionante encuentro con elementos que uno no puede controlar.

Por ese motivo, lo mejor para que los últimos ensayos respiren frescura es añadir otros seres humanos al cóctel. Si tienes amigos o colegas que estén dispuestos a escucharte, reclútalos sin dudarlo. Tener unos ojos humanos observándote y presenciar reacciones humanas ante tus palabras puede resultarte muy útil para analizarte a ti mismo mientras hablas. Antes de invitarles a que te escuchen, asegúrate de que sabes qué esperas de ellos. ¿Estás dispuesto a abrirte a cualquier crítica que puedan tener? Si lo único que pretendes es que en la sala haya personas de verdad, pero no quieres que te digan nada al terminar, házselo saber antes de empezar. Si sólo quieres oír elogios para reforzar tu autoestima, díselo también y asegúrate de que las cobayas que elijas te van a hacer caso.

Si quieres que tu público de mentira te exponga críticas detalladas sobre el contenido de tu discurso y sobre la forma como lo has pronunciado, asegúrate de que eliges a personas cualificadas para ello. (¿Conocen lo bastante el tema del discurso, tu objetivo y al público que lo va a oír?) Entonces plantéales cuestiones específicas en las que puedan pensar para que se concentren en lo que tú necesitas oír. Pídeles que presten especial atención a tu lenguaje corporal, al contacto visual que establezcas, a la conclusión o a cualquier otro aspecto que creas que necesita una mayor elaboración. Lo más importante es que te asegures de que estás dispuesto a recibir críticas sin que eso te provoque inseguridad o te deprima. Además, no dudes en rechazar las críticas con las que no estés de acuerdo. Sonríe, asiente, dales las gracias por su tiempo y luego continúa ensayando e incorpora lo que consideres oportuno de sus comentarios, sea mucho o poco.

Una voz sana

Si no estás acostumbrado a hablar mucho, puede que el alto ritmo de ensayos perjudique tu voz. Los actores profesionales son conocidos por su extrema preocupación por su voz, algo muy comprensible teniendo en cuenta que si la pierden no pueden hacer mucho más que llamar a un suplente (y, desde luego, correr el riesgo de que les sustituyan). En consecuencia, la profesión ha desarrollado una serie de rituales y remedios pensados para mantener la voz sana. Y si bien es cierto que tus exigencias como orador tal vez no sean tan rigurosas como las de un actor de Broadway, si quieres realizar un discurso admirable, deberás cuidarte igualmente la voz.

Si te has concentrado en respirar de forma más eficiente y en liberarte de las tensiones innecesarias en el cuello y el resto del cuerpo mientras hablas, ya has hecho mucho para asegurar y fomentar la productividad de tu voz.

Aun así, si no estás acostumbrado a hablar mucho o si estás resfriado, puedes experimentar una cierta afonía. El mejor remedio para la afonía es el descanso vocal: no hables si no es absolutamente necesario. Ni siquiera susurres. Aunque pueda parecerte que susurrar no perjudica tus cuerdas vocales dañadas, lo cierto es que les supone una tensión igual o mayor que hablar en voz alta. También puedes combatir la afonía con corteza de olmo americano, una sustancia orgánica que se puede comprar en cualquier tienda naturista en forma de pastillas o de infusión. De hecho, cualquier tipo de té sin cafeína mezclado con un poco de miel y limón será un buen bálsamo para la garganta y permitirá que tu voz natural recobre la energía.

Si notas un creciente dolor de garganta, lo mejor que puedes hacer son gárgaras. Las gárgaras con agua salada caliente ayudan a reducir la hinchazón de la garganta y los pólipos vocales, cosa que evita, en parte, la ronquera. Los más atrevidos pueden probar un remedio para el dolor de garganta, de sabor bastante desagradable, al que recurren algunos actores: hacer gárgaras con una mezcla de dos partes de agua caliente y una parte de vinagre de sidra. Llámalo maravilla de la homeopatía o histeria colectiva, pero lo cierto es que muchas personas del mundo del teatro (incluidos nosotros) insisten en que hacer gárgaras con esa mezcla a los primeros síntomas de dolor de garganta no sólo reduce la hinchazón, sino que también alivia el dolor y previene una infección de garganta más seria. Como ocurre con todos los remedios, en caso de duda es mejor consultar al médico.

Ensayo general

Los actores ven el «ensayo general» como una gran oportunidad para unir todos los elementos de una obra y comenzar a vivir el papel antes de la noche del estreno. Se trata de una etapa crucial del proceso dramático que les da la confianza necesaria para saber que serán capaces de hacerlo bien cuando llegue la hora de la verdad. Tu proceso debe incluir al menos un ensayo el día antes del discurso con el atuendo que llevarás. Puedes hacerlo en solitario o delante de colegas y amigos, pero para sacarle el máximo partido debes tomártelo tan en serio como cuando realices la exposición real.

Utiliza un espacio que se aproxime lo más posible al que acogerás tu discurso. Si vas a incluir imágenes, asegúrate de que el equipo necesario esté preparado antes de comenzar. Por supuesto, no sería un ensayo general si no fueras «completamente ataviado»: ponte la ropa que pienses llevar durante el discurso para ver cómo te sientes al andar con esos zapatos o al moverte dentro de esa chaqueta.

Imagina también que te están presentando como crees que lo van a hacer y comienza a ensayar desde el momento en el que subas al estrado. Practica la forma de andar hacia el atril y después zambúllete en el discurso.

A menos que tengas planeado hacer una pausa en tu exposición, pronuncia el discurso de principio a fin, sin interrupción. Si tienes planeado hacer una pausa a medio discurso, por supuesto también deberás reproducirla y detenerte durante el tiempo establecido.

Cuando hayas terminado de ensayar, reflexiona sobre cómo ha salido. Si lo deseas puedes tomar algunas notas sobre aspectos diversos, como tu grado de confianza, la efectividad de tu lenguaje corporal, tu habilidad a la hora de presentar la lógica de tu discurso, tu entusiasmo, el uso que has hecho de los elementos visuales…, en definitiva, cualquier cosa que creas que vale la pena evaluar.

Entonces, antes de comenzar a obsesionarte por todo lo que quieres mejorar, dedica un instante a felicitarte por lo que te ha salido bien. Puesto que aún no hay un público que te aplauda, deberás hacerlo tú mismo. A continuación puedes decidir qué partes de tu discurso quieres elaborar más antes del momento de pronunciarlo. Una advertencia: tu lista de «necesita mejorar» sólo será útil si es breve, concreta y manejable. Elige cinco elementos a los que quieras dedicar mayor atención y concéntrate en ellos.

En cuanto notes que has logrado progresos en las áreas que has señalado, pronuncia el discurso completo de nuevo. En esta ocasión debes centrarte en analizar las cosas que funcionan. Cuando un actor se pone realmente a interpretar, toma el mando de su actuación y se olvida de los «debería», «podría» y «tendría que». Tras el último ensayo, centra todas tus energías en lo que está, no en lo que no está.

madre. Una enumeración exhaustiva... hijos que
con el campo...

En cuanto a los que has... proceso... la im-
...blecido potencial de distribución, que es un re-
...La estructura de la cultura es cambiante. En tanto que
...Cuando un niño... que... a un... a la que...
...en el ... se desarrolla y se diferencia de... otros...
...tema el futuro... la... futuro... se... con... to...
...el mundo... en la que su incremento que... de...

9. Es la hora del espectáculo, amigos

*Actuar es un 95 por ciento de preparación. Si estás
preparado para actuar, puedes hacerlo.*

ERIC MORRIS

«A sus puestos, por favor.» Esas son las últimas palabras que
oyen los actores antes de entrar en escena. Ha llegado el momento de la verdad, el fin de la preparación y el comienzo de
la actuación: estés o no preparado, es la hora.

Y así es como se sienten la mayoría de actores antes
de que se levante el telón, tanto si están preparados como
si no. Sienten que no lo están, porque tras semanas de preparación son conscientes de las muchas cosas en las que
pueden pararse a pensar (el guión, el bloqueo, los hábitos
físicos y vocales del personaje), y resulta duro no pensar
en todo eso. Y sin embargo saben que sí están preparados,
ya que en lo más profundo de su ser confían en que los ensayos hayan dado sus frutos y en que todo esté bajo control. Eso se convierte en parte de su subconsciente. El momento de preocuparse por un centenar de nimios detalles
ya ha pasado, y ahora deben vivir el presente y responder

de forma intuitiva y natural a los estímulos que reciban. Se trata de un aspecto realmente estimulante de la interpretación.

Últimos preparativos

Entra en cualquier teatro dos horas antes del estreno de una obra y presenciarás un espectáculo único: actores que corren de un lado para otro del escenario ensayando un fragmento que no pudieron practicar el día anterior porque la pintura aún no se había secado del todo, técnicos por todos lados, ajustando y reajustando los focos, los responsables del atrezo cambiando la ubicación de jarrones y maletas, y diseñadores de vestuario peleándose con cremalleras atascadas y dobladillos descosidos. Y si te fijas bien verás otra figura que, carpeta en mano, se mueve con toda la calma del mundo en el ojo del huracán. Es el director de escena, el responsable de asegurarse de que los detalles técnicos estén totalmente a punto y de que los actores estén concentrados y listos para que el espectáculo pueda comenzar con puntualidad. Los directores de escena son figuras muy apreciadas en el mundo del teatro porque se hacen cargo del frenético ambiente previo al espectáculo y permiten a los actores alimentar la ilusión de que todo está bajo control.

Cuando vayas a pronunciar tu discurso, probablemente no puedas confiar en ningún director de escena, de modo que serás tú mismo quien deba asumir esa función. A continuación encontrarás algunos trucos para controlar el entorno del discurso y concentrarte apropiadamente a medida que se acerque el momento de empezar a hablar.

Cuidados y alimentación

Lo que hagas a lo largo del día del discurso puede tener un gran impacto en la calidad de tu exposición. La clave está en asumir el control de las circunstancias en todo momento.

Concédete todo el tiempo del mundo antes de salir de tu casa o del hotel hacia el lugar de la conferencia. Haz calentamientos físicos y mentales, y vístete con calma. Actuar de forma tranquila y relajada hará que te sientas más tranquilo y relajado.

Es posible que, a pesar de tu preparación, experimentes un ligero nerviosismo, pero recuerda que eso puede ser bueno. Si estuvieras completamente relajado, estarías medio dormido y eso no te ayudaría demasiado a pronunciar un gran discurso. Cuando tu corazón late un poco más rápido, le llega más sangre al cerebro, que está más alerta y es más rápido de lo habitual. ¡Alégrate!

Lo que comas y bebas durante el día del discurso también afectará mucho a tu capacidad de dar lo máximo de ti mismo. Tu ritual de preparación debería incluir una comida sana y equilibrada. Aunque, como muchos actores, experimentes una ligera náusea cuando estás nervioso, necesitarás ingerir algo para mantener la energía durante tu exposición. Come en abundancia varias horas antes del discurso (cuando es menos probable que tengas el estómago revuelto) y toma un pequeño aperitivo justo antes del gran momento.

Como probablemente ya te decía tu madre, unas comidas son mejores que otras, y lo que comas como orador no es una excepción. En general, justo antes de subir al estrado debes evitar el chocolate y los productos lácteos. Esos alimentos tienden a provocar una mucosidad que obstruye parcialmente la garganta y que te obligaría a carraspear para aclarártela. Como ya hemos dicho con anterioridad, el día del discurso también sería interesante que evaluaras tu tolerancia al café y a otros productos con cafeína. Si eres un bebedor empedernido de café, probablemente necesites una taza por la mañana para ponerte en marcha. En cambio, justo antes de subir al estrado probablemente experimentarás un aumento del nivel de adrenalina, y un exceso de cafeína en tu organismo sólo intensificaría el nerviosismo previo al discurso.

Por último, en estos casos no hay nada mejor que el agua. De hecho, los médicos recomiendan beber ocho vasos al día. Por lo menos deberías asegurarte de que dispones de un vaso de agua mineral a mano para beber durante el discurso.

Atrezo

Si miras la parte final de prácticamente cualquier guión teatral, encontrarás una lista de atrezo, un catálogo de los objetos físicos imprescindibles para dar vida a la obra. Para *El sueño de una noche de verano*, por ejemplo, se necesita una poción de amor, polvos mágicos y una cabeza de asno, entre otras cosas. Parte del ritual previo al espectáculo que sigue el director de escena es examinar la lista de atrezo y asegurarse de que todo esté en su sitio antes de que se levante el telón. Pues bien, los oradores también pueden invertir en tranquilidad creando una lista de atrezo. La tuya probablemente no incluya una cabeza de asno, pero sí debería contar con lo siguiente:

Una ficha con la dirección del local del discurso y el nombre y el número de teléfono de tu contacto.

Unas monedas para emergencias de aparcamiento.

Al menos dos copias del discurso, de las notas o del guión.

Una carpeta o un portafolios para el material escrito.

Un bolígrafo y un lápiz para tomar notas de las presentaciones de otras personas y para anotar ideas de última hora.

Pañuelos de papel o uno de tela.

Una botella de agua.

Un reloj.

En función de los elementos visuales que utilices, también necesitarás:

Las diapositivas, disquetes o transparencias.

Un puntero para diapositivas o imágenes de retroproyector.

Tiza para pizarra o rotuladores borrables para pizarras blancas.

Nota: También deberías asegurarte con antelación de que los coordinadores del acto te proporcionen la pizarra o cualquier máquina de proyección que necesites, ya que de lo contrario deberás llevarlas también tú.

El entorno físico

En muchos teatros se exige que los elementos básicos del decorado estén a punto por lo menos con una semana de antelación a la noche del estreno para que los actores se puedan acostumbrar a lo que sienten al moverse por ese espacio físico. Una vez que los actores comienzan a ensayar en el escenario real, se suelen modificar algunos detalles en función de sus necesidades y también para facilitar la visión al público. Se recoloca el mobiliario para que permita unos movimientos más fluidos en el escenario, o se apartan los estorbos para ofrecer mejores ángulos de visión. Nunca se sabe cómo va a salir todo hasta que se ha ensayado varias veces en el escenario.

Sin embargo, para los oradores el proceso es muy distinto. A menudo se les pide que actúen ante el público sin ni siquiera haber visto el entorno físico en el que van a tener que pronunciar su discurso. Así pues, si llegas al local justo antes de dar el discurso (como suelen hacer muchos oradores), habrá muchas cosas que dependerán de la suerte. ¿Está la sala configurada como se supone que debe estarlo? ¿Funciona bien el micrófono? ¿Está a la altura correcta? ¿Pueden las personas de la última fila ver las imágenes que se proyectan? Esperemos que sí, porque cuando llegue la hora de hablar ya no habrá nada que hacer.

Una vez hayas comenzado tu discurso, te resultará muy fácil distraerte por pequeños detalles del entorno físico que no estén en el lugar apropiado. Eso es evitable llegando con tiempo al lugar y comprobándolo. Presta especial atención a los siguientes elementos:

Atril: ¿Quieres estar en el centro o a un lado? ¿Se puede ajustar la altura? ¿Puedes salir de detrás con facilidad? ¿Hay espacio suficiente para los papeles y demás objetos?

Equipamiento visual: ¿Está preparado y a punto? ¿Sabes cómo utilizarlo? ¿Cuentas con la ayuda de alguien? Y en ese caso, ¿sabe ese alguien cuándo debe pasar de diapositiva?

Disposición de las sillas: ¿Es el número de sillas adecuado para el público previsto? ¿Están lo bastante cerca del lugar desde donde vas a hablar? ¿Están lo bastante lejos? ¿Hay una buena visión del estrado desde todos los puntos de la sala?

Iluminación: ¿Hay suficiente luz para que se os vea a ti y la pizarra en el estrado? ¿Se puede bajar de intensidad lo bastante como para garantizar una visibilidad óptima de las diapositivas? ¿Sabes cómo hacerlo en caso de necesidad?

Sistema de sonido: ¿Has probado el volumen del micrófono? ¿Lo controlas tú o lo hace un técnico? ¿Puedes regular su altura o apartarlo a un lado si es necesario? ¿Qué posición produce menos crepitaciones y demás sonidos extraños?

Temperatura de la sala: Si no resulta agradable para ti, probablemente tampoco lo será para el público. ¿Sabes cómo controlarla?

Si te es posible, realiza un breve ensayo del discurso para captar el verdadero ambiente de la sala. Si algo no te parece bien, si la temperatura de la sala te parece demasiado baja o el micrófono suena demasiado fuerte, que no te dé vergüenza expresar educadamente tus preocupaciones al coordinador del acto. Recuerda que los responsables de la organización del acto tienen exactamente el mismo objetivo que tú: hacerlo todo lo mejor que puedan.

Sin embargo, y aunque llegues con tiempo, es posible que el entorno físico te depare algunas sorpresas que no puedas controlar. Si eso sucede, tienes que ser flexible: haz como los actores e improvisa. Existe un antiguo proverbio del mundo del teatro que dice: «Si se cae el techo, que se caiga encima del personaje». Eso significa que cuando uno sabe quién es y qué quiere, no debe preocuparse si se presenta un bache: lo superará perfectamente, con la mejor de las sonrisas, actuando como si esa imagen de un pollo gigante estuviera ahí desde el primer momento, porque esa era su intención.

Esperar entre bastidores

Cuando el discurso forme parte de un programa más amplio, deberás tener en cuenta una serie de cosas más. Para empezar, si estás a la vista del público antes de que te toque el turno de hablar, tendrás que estar metido en tu papel desde el primer momento. Al igual que el actor que se pasa diez minutos sentado en silencio en el escenario antes de pronunciar la primera palabra, tú formas parte de la obra desde que se levanta el telón y debes actuar de acuerdo con tu papel. Todo cuanto hagas, desde reírte de una broma hasta tu forma de aplaudir, estará comunicando al público algo sobre ti, de modo que asegúrate de que sabes lo que quieres decir. Estar metido en el papel no sólo te ayudará a crear una impresión favorable en el público, sino también a prepararte para dar lo mejor de ti mismo cuando subas al estrado.

En alguna ocasión es posible que un orador que te preceda se te adelante sin saberlo y señale una idea que tú también ibas a destacar utilizando la misma referencia popular, como por ejemplo una anécdota. Si eso sucede, no te pongas nervioso; simplemente debes encontrar una forma de incorporar esa coincidencia tan poco frecuente a tus observaciones y convertirla en una virtud. (Al fin y al cabo, las grandes mentes piensan igual, ¿no es cierto?) Conectar tus comentarios con los de los oradores que te han precedido es una buena idea incluso en el caso de que no haya similitud en la información. Establecer conexiones ayuda al público a contextualizar el mensaje a la vez que demuestra tu capacidad de ser un buen oyente y de formarte una idea de conjunto.

Aliarse con el público

A muchos actores les gusta espiar un poco al público antes de salir a escena. A medida que los sonidos previos a la actuación se cuelan en la sala de vestuario a través del intercomunicador, los actores suelen fijarse en si el público parece animado y enérgico o más bien cansado y apático. En ocasiones, incluso después de que comience la función, los actores que aún no han aparecido en escena se acercan para oír el efecto que tiene la primera intervención humorística y utilizan esa reacción como barómetro del nivel de participación del público que pueden esperar. Incluso existe un mito en el teatro acerca de qué noches atraen a los públicos más entusiastas. (Tradicionalmente, los jueves y los sábados son revoltosos; los viernes, en cambio, son muy tranquilos.) Obviamente, no se trata de una ciencia exacta, sino tan sólo de una forma de prepararse para lo que puedan encontrar en cuanto pisen el escenario.

Espiar un poco al público también te puede resultar útil como orador. Si quien te precede es un orador fantástico, pero, por el motivo que sea, sólo consigue arrancar alguna risilla de vez en cuando, te desanimarás menos si al llegar a la primera frase contundente recibes una respuesta tibia. Un recibimiento poco entusiasta no significa que hayas fracasado: es sencillamente que el público está frío, no pasa nada. De hecho, por mucho empeño que le pongas, nunca podrás saber lo que los oyentes piensan acerca de tu intervención. Tal como en una ocasión escribió John Gielgud: «El público de anoche, al que [el actor] maldijo por su frialdad, tal vez disfrutó tanto de su actuación como el de esta noche, que le inspira la más cordial y personal de las simpatías».

Los públicos, como la gente, tienen distintas personalidades, de modo que no extraigas sin más la peor conclusión.

Sea cual sea la predisposición de tu público, hay algo absolutamente cierto: debes encontrar la manera de establecer una conexión personal con él desde el primer momento. Aproxímate lentamente al atril o al micrófono y dispón tus papeles; practica tu sonrisa interior y establece un contacto visual comunicativo, lleno de confianza, con varios miembros de la audiencia antes de decir una sola palabra. Ese es un buen comienzo que permite a tus oyentes saber que están en buenas manos.

Intenta involucrarlos activamente en tu discurso desde el principio. Si el número de asistentes es lo bastante pequeño, haz que se presenten; normalmente la gente quiere saber quién más hay en la sala. (Por supuesto, si ya se conocen todos y eres tú quien quiere saber quiénes son, es mucho mejor que lo descubras en privado, antes de que comience el acto.) También puedes implicarles preguntándoles algunas cosas acerca de su experiencia previa en relación con el tema, o sobre lo que esperan de tu discurso. Con una audiencia mayor, puedes conseguir el mismo efecto realizando votaciones a mano alzada en relación con el tema del discurso. (Por ejemplo: «¿Cuántos de ustedes han visitado una prisión?»)

Descubre por qué están ahí, qué esperan de ti. Mientras pronuncies el discurso, no dudes en introducir de vez en cuando algún comentario que responda a las observaciones que han expresado. Saber algunas cosas sobre el público derriba muchas barreras y te dará una oportunidad de dirigir partes específicas del discurso a personas concretas. («Como defensora veterana de la reforma carcelaria, probablemente la señora Jones dispondrá de información de primera mano sobre este tema…»). Incluso en el caso de que tengas el discurso preparado palabra por palabra, puedes utilizar la información que el público te haya proporcionado para decidir con quién establecer contacto visual en un momento dado o en qué palabras debes poner más énfasis.

Aliarte con la audiencia significa crear una relación positiva, aun cuando tu mensaje les resulte difícil de digerir. Como sabes perfectamente, tienes un objetivo, algo que quieres que hagan tus oyentes, pero a veces para conseguir de ellos lo que quieres deberás darles lo que piden. Por eso es tan importante que estés atento a sus necesidades y hagas todo lo posible por identificarte con ellos. En muchas ocasiones, consciente o inconscientemente, los oradores consideran al público como el enemigo. Perseguir un objetivo no tiene por qué suponer un conflicto en el que sólo pueda haber un ganador.

A medida que pronuncies el discurso, intenta mostrar una actitud ganadora. Por muy difícil de seguir que les resulte tu mensaje, haz todo cuanto esté en tu mano para ayudarles a comprender hasta qué punto tu objetivo es tan valioso para ellos como para ti, lo cual no es más que otra forma de decir: «Habla en beneficio del público, no sólo en tu propio beneficio». Esta es la regla de oro del orador y la fórmula secreta para conseguir el éxito.

Públicos distraídos

El héroe avanza con paso lento y gallardo hacia la horca. De pronto se detiene y dirige una intensa mirada a sus verdugos. Justo cuando abre la boca para pronunciar sus últimas y triunfantes palabras, resuena entre el público el estridente crujido del papel de un caramelo. Se ha roto el encanto.

¿O no?

Los actores saben que siempre habrá personas para las cuales no hay mejor momento que el presente para disfrutar de un puñado de *M&M's*. Ese es el motivo por el cual no puedes perder los nervios porque se produzca una pequeña distracción en la sala, y desde luego, no debes tomártelo como algo personal. Los actores más curtidos salvan constantemente momentos dramáticos que se ven amenazados por una pequeña interrupción simplemente poniendo más interés en lo que están haciendo que en lo que sucede entre el público. En lugar de distraerse, retoman con más energía aún las acciones que deben llevar a cabo para que nadie se atreva a apartar la mirada.

Esta estrategia puede ser igualmente efectiva para los oradores, pero está infrautilizada. Muchos oradores inexpertos se dejan vencer por un bostezo solitario o por el tipo del fondo de la sala que parece incapaz de controlar su agenda electrónica, y pierden de vista los objetivos de su discurso. Es importante tener presente que existen todo tipo de motivos por los que una persona del público puede no prestar toda su atención, la mayoría de los cuales no tienen nada que ver contigo. Puede haberse pasado media noche en vela con un bebé que no dejaba de llorar, o tal vez está obsesionado con quitarse un padrastro. Y tú simplemente no puedes saberlo.

Si la mayoría de personas del público parecen concentradas en tu discurso, la mejor estrategia que puedes adoptar es ignorar al ofensor solitario y seguir haciendo lo que haces. Si, en cambio, lo que predomina son los garabatos y el ruido de papeles, necesitas reorientar la cuestión. Puedes detectar otros comportamientos (como, por ejemplo, párpados que se cierran, personas que tosen, que miran por la ventana o que se remueven inquietas) que son síntomas evidentes de que les estás perdiendo. Una buena respuesta sería variar el tono o el tempo, cambiar tu posición en la sala, improvisar una pregunta o recordarles cuál es el objetivo último del discurso (qué recompensa recibirán y por qué la información que les estás proporcionando es importante). Si la situación parece realmente grave, puedes incluso invitarles a levantarse y estirar las piernas un momento. Serían malas respuestas las disculpas, abandonar a medias, culparte a ti mismo por tu falta de talento o culpar al público y tomarla con él.

Algunas veces puedes encontrarte con algo que vaya más allá de la mera falta de interés, y el público, más que aburrido, puede mostrarse hostil con tu punto de vista. Cuando los oyentes la toman con el orador, suele ser por uno de los siguientes motivos:

No entienden el mensaje.

No ven qué puede tener que ver con su situación.

Albergan ideas preconcebidas que les llevan a desconfiar del mensaje.

Lo ven como una amenaza potencial de su bienestar y, por lo tanto, lo rechazan.

Cualquiera de esas situaciones puede llevar a un espectador a perder el interés o, peor aún, a adoptar una actitud absolutamente antagónica. Así pues, veamos cómo hay que abordar una exposición que está recibiendo una respuesta negativa.

La multitud furibunda

Palmadas, silbidos, abucheos, golpes, tomates podridos, críticas mordaces... A lo largo de los siglos, los asistentes al teatro han desarrollado maneras muy originales de expresar su desagrado por actores y obras de teatro. En el mundo civilizado (esto es, el mundo más allá del teatro), por lo general se puede confiar en que la gente se comporte con un cierto grado de decoro, pero los oradores aún tienen que contar con la idea de que en alguna ocasión deban enfrentarse con un público hostil. Si los miembros de la audiencia se resisten a tu mensaje (expresando objeciones, lanzando críticas o exhibiendo cualquier otro signo evidente de desaprobación), puedes hacer muchas cosas para salvar las diferencias. La primera, y tal vez la más importante, es desprenderte de tu ego para así poder escuchar de un modo objetivo y tratar realmente de comprender sus preocupaciones. Una vez sepas de dónde viene la oposición, te será mucho más fácil enfrentarte a ella.

Si hay una diferencia de opinión genuina (tú crees que la biblioteca del barrio debe incluir una sala de recreo comunitaria y ellos creen que el edificio debe servir tan sólo para leer), dales una oportunidad para expresar sus objeciones. Si intentas averiguar por qué motivo se resisten tanto a tu idea, tal vez te digan que les preocupa que la sala de recreo atraiga a muchos jóvenes del barrio y que se cree un ambiente bullicioso que altere la rutina de los habituales de la biblioteca.

En lugar de levantar las espadas y salir inmediatamente en defensa de tu posición, trata en primer lugar de reconocer que, al fin y al cabo, su temor es razonable. (Si lo intentas de verdad, encontrarás algún mérito en prácticamente cualquier objeción.) Nueve de cada diez veces, lo único que se necesita para evitar la hostilidad es un poco de sensibilidad. «Creo que han planteado un punto muy importante. Debemos encontrar una forma de ofrecer a los jóvenes un lugar para reunirse dentro de la biblioteca y, a la vez, preservar el ambiente tranquilo que muchos de nosotros buscamos cuando acudimos allí. Dediquemos unos minutos a hablar de cómo hacerlo.»

Al dar credibilidad a su posición, ya no actúas como el enemigo y, por lo tanto, puedes comenzar a trabajar en colaboración con ellos para solucionar el problema.

Independientemente de la oposición que recibas por parte del público, siempre conseguirás más cosas si los tratas como socios que como adversarios. No pierdas la compostura, muéstrate respetuoso y escucha sin interrumpir. Si realmente te sientes perplejo, intenta reflejar verbalmente sus argumentos: «Si lo estoy entendiendo bien, muchos de ustedes temen que el carácter esencial de la biblioteca cambie si añadimos esta sala». La escucha reflexiva (una técnica que utilizan mediadores, terapeutas y otros profesionales cuyo trabajo consiste en facilitar el diálogo constructivo) es una forma perfecta de hacer ver a tus oyentes que les has comprendido y que te preocupas por las cuestiones que plantean. También te permite disponer de un tiempo muy valioso para encontrar una forma de hacer que la charla vuelva a su cauce.

Una vez hayas construido un puente entre tú y el público hostil, es hora de dar un paso más. El orador que intenta tratar todas y cada una de las objeciones que surjan corre el riesgo de perder el control de su discurso. Intenta volver al buen camino recordándoles cuál es el objetivo de tu exposición y convenciéndoles de que sigan escuchándote si aún no están satisfechos. «Valoro mucho sus aportaciones y desde luego transmitiré sus preocupaciones al comité de planificación. Lo que me gustaría hacer ahora es continuar hablando de los planes que hemos diseñado y luego haremos otra pausa para oír más preguntas y comentarios.»

Los peligros de los turnos de preguntas y respuestas

El turno de preguntas y respuestas es una oportunidad única de conectar con la audiencia y responder directamente a sus necesidades y preocupaciones. No se trata tan sólo de un foro efectivo para el intercambio de ideas, sino también de un medio poderoso de aclarar malentendidos y provocar cambios en la forma de pensar de los oyentes.

Intenta encontrar una virtud a cada pregunta, como si hubieras estado esperando que alguien se levantara y preguntara precisamente eso. De ese modo no sólo plantearás una invitación a entablar un diálogo productivo, sino que también proyectarás una imprescindible sensación de confianza en la posición que representas. Incluso las preguntas más controvertidas y hostiles pueden resultarte de ayuda. Al menos ahora las objeciones salen abiertamente a la luz y las puedes rebatir. Al formular una pregunta, un miembro del público te está ofreciendo la posibilidad de cambiar su punto de vista, lo cual es mucho mejor que cerrarse en banda sin más; ahora puedes trabajar para promover un diálogo mutuamente beneficioso.

Una forma sencilla de fomentar una relación positiva con el público durante el turno de preguntas y respuestas es anteponer a las respuestas una breve (pero sincera) afirmación de este tipo: «Le agradezco la pregunta» (algo que deberías decir sinceramente, ya que te ofrece una nueva oportunidad de exponer tus ideas), o: «Soy consciente de que eso nos preocupa a todos». Al mismo tiempo, afirmando la validez de las preguntas del público animarás a las personas más vergonzosas y a las que sufren de pánico escénico a involucrarse en la discusión. Sin embargo, debes evitar frases como: «Esa es una buena pregunta». Puede parecer una observación condescendiente, ya que probablemente la persona que ha formulado la pregunta ya asumía que era buena (de lo contrario, no la habría hecho).

Estructurar las preguntas y las respuestas

Tanto si el público se muestra abiertamente en contra o apasionadamente a favor de tu causa, lograr que participe de un modo productivo en una tanda de preguntas y respuestas requiere un poco de mano izquierda. Tu tarea consiste en guiar a los miembros de la audiencia a través del proceso de participación, mostrándoles lo que esperas de ellos y lo que ellos pueden esperar de ti. Asegúrate de que desde el principio de tu exposición queda claro cómo quieres tratar el tema de las preguntas: si quieres que el público las formule sobre la marcha, durante pausas periódicas o sólo al final. En función del tipo de discurso, resulta más conveniente elegir una u otra variante del turno de preguntas y respuestas. Si vas a describir los detalles de una operación complicada, tal vez desees que tus oyentes te vayan planteando las preguntas sobre la marcha, para asegurarte de que comprenden los puntos más difíciles. Si, por el contrario, pronuncias un discurso jocoso sobre puntos calientes de veraneo, tal vez prefieras que el público se guarde las preguntas para el final. La gran ventaja de no abordar las preguntas hasta el final del discurso es que no deberás tratar los temas de un modo discontinuo y no correrás el riesgo de agotar el tiempo antes de llegar a los puntos más importantes.

La oportunidad de intercambiar ideas con el público es uno de los aspectos más valiosos de la mayoría de discursos. Una vez hayan participado en un debate abierto, será mucho más probable que los miembros de la audiencia recuerden lo que han oído y actúen en consecuencia. Por ello, si consideras que no tendrás tiempo para una tanda formal de preguntas y respuestas, deberías quedar a disposición del público al terminar el acto para atender sus preguntas de forma informal.

¡Punto en boca!

Una de las tareas más difíciles para un orador es despertar a un público frío. Si quieres fomentar un intercambio animado, debes invitar a la discusión en términos animados. «¿Hay alguna pregunta?», sugiere la posibilidad de que no las haya, lo que significa que tal vez el público se irá pronto a comer. Sorpresa: ¡Hoy no hay preguntas!, «¿Queda todo claro?», también es una invitación muy débil, puesto que implica o bien que no estás seguro de tu capacidad de explicar las cosas, o bien que crees que la audiencia no es lo bastante inteligente para entenderlas.

En general, evita preguntas que se puedan responder con un sí o no. Es probable que una pregunta como «¿Qué preocupaciones tienen de las que aún no nos hayamos ocupado específicamente?», suscite una respuesta más rica que «¿Desean saber algo más?»

Si tienes motivos para creer que un turno de preguntas y respuestas puede resultar realmente soso, puedes preparar un par de preguntas estimulantes para romper el hielo. («Cuando hablo por todo el país, suelen preguntarme si…») Una vez la pelota comience a girar, la gente estará mucho más dispuesta a agarrarla y jugar con ella.

Dirigir el diálogo

En cuanto comiencen a surgir las preguntas, préstales atención. Asegúrate de que entiendes realmente lo que expone la persona que pregunta antes de lanzarte de cabeza a responder. Si dudas, trata de ahondar más en la pregunta; descubre lo que de verdad quiere saber para poder ofrecerle una respuesta que dé en el clavo. Tus oyentes apreciarán ese esfuerzo extra.

Si alguien te plantea una pregunta verdaderamente difícil, no temas admitir que no conoces la respuesta. Es perfectamente apropiado que le sugieras una fuente donde pueda encontrar la respuesta o te ofrezcas a buscarla tú mismo y responder en otra ocasión. Asimismo, si estás hablando para expertos sobre el tema puedes trasladar la pregunta al público y ver si alguien tiene alguna sugerencia. Hagas lo que hagas, no intentes nunca marcarte un farol ni inventarte una respuesta. Contrariamente a la creencia popular, los oradores se ganan el cariño del público cuando admiten sinceramente que no saben algo. Nadie tiene todas las respuestas, de modo que: ¿por qué ibas a tenerlas tú?

Si alguien te pregunta algo que no tiene nada que ver con el tema, debes negarte educadamente a responder. Dile a quien haya formulado la pregunta que no tienes tiempo de abordar esa cuestión en ese momento, ya que la exposición trata específicamente sobre x, pero que la discutirá con mucho gusto con él más tarde.

Asimismo, evita crear una situación en la que un reducido grupo domine el turno de preguntas y respuestas. Tú controlas quién formula las preguntas, de modo que incluye a tantas personas como puedas. Responde de forma precisa y concisa para tener tiempo de atender al mayor número de preguntas posible. No olvides que incluso cuando te dirijas a una persona en concreto, deberás hablar en beneficio de todos los oyentes. No dejes de establecer contacto visual con el grupo a medida que respondas a las preguntas para evitar convertir el discurso en una conversación privada.

Ten presente el tiempo y comunica al público cuándo vas aceptar tan sólo dos preguntas más. Intenta terminar siempre la sesión de preguntas y respuestas con una respuesta brillante, tomando como pregunta final la que te permita salir por la puerta grande. Acto seguido agradece al público su participación y da el acto por finalizado.

Aplausos, aplausos

Cuando los actores salen a saludar, el público tiene la oportunidad de expresarles su gratitud por un trabajo bien hecho. Esta es una parte importante de la situación de comunicación que no debería abordarse con prisas. Si las reverencias parecen forzadas, el público se sentirá engañado.

Aunque un orador no tiene que hacer una reverencia, el principio es el mismo: termina el discurso de forma clara y demora tu salida para aceptar con elegancia los aplausos del público. En cuanto el aplauso llegue a su punto álgido, comienza a retirarte. Y, desde luego, sal del estrado antes de que los aplausos se hayan desvanecido por completo.

Saber aceptar las felicitaciones después de tu exposición también forma parte de tu trabajo como orador. Si alguien te dice que le ha gustado tu discurso, la respuesta apropiada es: «Gracias», y no: «Bueno, tampoco ha sido gran cosa» ni, por lo que más quieras: «En realidad me salía mejor en los ensayos». Ese tipo de comentarios humildes denotan una falsa modestia en el mejor de los casos y una neurosis extrema en el peor. Además suponen también un insulto para la persona que te ha felicitado, ya que sugieren que no sabe distinguir un buen discurso de uno malo.

Las críticas

¿Qué debes hacer cuando todo haya terminado? Para empezar, esperamos que disfrutes de una comida relajada o que regreses al hotel a bañarte en el jacuzzi; te mereces una recompensa tras el duro trabajo que has realizado.

Una vez dispongas de cierta distancia respecto del discurso, puedes comenzar a reflexionar sobre qué tal te salió. Cada actuación es como un ensayo general para la siguiente ocasión en que debas salir a escena, de modo que cuanto mejor sepas en qué medida lograste llegar al público, mejor lo harás.

Algunos actores (entre los cuales Katherine Hepburn, Stockard Channing y Anthony Hopkins) nunca leen las críticas mientras están trabajando en un espectáculo. Saben que cuando se ha estrenado oficialmente no se pueden introducir cambios radicales, y no desean modificar su modo de hacer las cosas por culpa de lo que puedan decir los críticos.

Los oradores, en cambio, suelen disponer de una mayor libertad para retocar sus discursos de cara a futuras exposiciones. Leyendo las evaluaciones de tus oyentes o suscitando intercambios orales de puntos de vista tendrás la oportunidad de descubrir, por ejemplo, que les gustó tu estilo, pero que el contenido era flojo, y entonces podrás volver a la fase de escritura del proceso de desarrollo del discurso. Si en cambio parece que captaron la sustancia pero no se muestran entusiasmados por tu desempeño, reexamina tus decisiones relativas a la comunicación verbal y física.

También deberás disponer de una cierta perspectiva cuando leas las críticas. La mayoría de nosotros tenemos más tendencia a recordar un comentario duro que cuarenta elogios, lo cual es una pena. Si introduces grandes cambios por culpa de una voz crítica, estarás negando a tus futuras audiencias la posibilidad de disfrutar de un buen material que, de hecho, funciona. La impresión de cómo salieron las cosas que tuviste en el estrado es tan valiosa como lo que los demás escriban en sus evaluaciones, de modo que, como en todo lo relacionado con la oratoria, sé fiel a ti mismo. Aprende cuanto te sea posible de las críticas constructivas, trabaja para afinar tu mensaje y tu estilo, pero nunca sacrifiques la confianza básica que tienes en ti mismo como alguien que merece ocupar un lugar central en el escenario.

Otros títulos publicados en
books4pocket crecimiento y salud

Ann Louise Gittleman
Melissa Diane Smith
Cómo vencer el cansancio crónico

Dorothy Law Nolte
Cómo convivir con hijos adolescentes

Dr. Thomas R. Verny
Pamela Weintraub
El futuro bebé

Sogyal Rimpoché
El futuro del budismo

Suzan Hilton
Feng shui de la abundancia

www.books4pocket.com

cherry

Apple